DZIKI ŚWIAT

ZAPRASZAMY

DO REZERWATU **TSHUKUDU** W REPUBLICE POŁUDNIOWEJ AFRYKI
(PRZYLEGAJĄCEGO DO SŁYNNEGO PARKU NARODOWEGO KRUGERA)

www.tshukudulodge.co.za

P.O. Box 289, Hoedspruit 1380, Limpopo Province, South Africa
tel. +27-15-793-2476/1886
e-mail: tshukudugamelodge@radioactivewifi.co.za

Ala Kuchcińska-Sussens
Joan Duff

DZIKI ŚWIAT

PODRÓŻ ŻYCIA: Z POLSKI PRZEZ SYBERIĘ DO DZIKIEJ AFRYKI

Z angielskiego przełożył
GRZEGORZ KOŁODZIEJCZYK

Tytuł oryginału:
ALA'S STORY: A WINDOW FULL OF ELEPHANTS
A LIFE JOURNEY FROM POLAND THROUGH SIBERIA AND IRAN
TO THE WILDERNESS OF AFRICA

Redakcja: Barbara Nowak, Dorota Stańczak

Drzewo genealogiczne: Barbara Nowak

Zdjęcia na okładce: Wayne Julyan (*front okładki*), Andrzej Kuryłowicz (*tył okładki*)

Zdjęcia na wkładce: Ala Sussens (*zbiory rodzinne*), Andrzej Kuryłowicz (*zdjęcia współczesne*)

Projekt graficzny okładki: Andrzej Kuryłowicz

Skład: Laguna

Zdjęcia wewnątrz książki, zdjęcie autorki oraz zdjęcie rodziny Sussensów
na okładce pochodzą ze zbiorów rodzinnych Ali Sussens

ISBN 978-83-7359-972-7

Dystrybucja

Firma Księgarska Jacek Olesiejuk
Poznańska 91, 05-850 Ożarów Maz.
t./f. 022-535-0557, 022-721-3011/7007/7009
www.olesiejuk.pl

Sprzedaż wysyłkowa – księgarnie internetowe

www.empik.com
www.merlin.pl
www.gandalf.com.pl

WYDAWNICTWO ALBATROS
ANDRZEJ KURYŁOWICZ
Wiktorii Wiedeńskiej 7/24, 02-954 Warszawa

2010. Wydanie I
Druk: WZDZ – Drukarnia Lega, Opole

Na pamiątkę moich ukochanych Taty i Mamy,
którzy powiedzieli „tak" pokojowi, miłości, szacunkowi i zaufaniu.
Wasze słowa są dla mnie skarbem, który noszę w sercu.

Podziękowania

Swoją wdzięczność wyrażam Joan, która prowadziła mnie prostą i wąską ścieżką. Dzięki jej zachęcie i cierpliwości zdołałam ukończyć moją opowieść.

Serdeczne dzięki mojemu mężowi Lolly'emu za tyle przeżytych wspólnie ciekawych lat. Zawsze mogłam polegać na twojej pracowitości i miłości.

Moim synom Ianowi i Chrisowi jestem głęboko wdzięczna za radość, którą wnieśli do mojego życia, oraz za zainteresowanie okazane budowie Tshukudu i farmy w Ohrigstad.

Sylvii dziękuję za to, że jest taką dobrą żoną i matką, za radość i szczęście, które wniosła do naszej rodziny. Oraz Sonji za spędzone razem wspaniałe chwile.

Moim wnukom: Patrickowi, Davidowi, Stephenowi, Richardowi, Jessice i Matthew dziękuję za radość. Mam nadzieję, że ta książka zainspiruje was do tego, byście starali się żyć w sposób pełny i uczciwy.

Moim krewnym w Polsce i krewnym Lolly'ego w Afryce Południowej dziękuję za pomoc, której zawsze mi udzielali.

Moim przyjaciołom, zbyt licznym, by wymienić wszystkich z imienia, składam podziękowania za wsparcie i wspaniałe chwile, które dane nam było spędzić w ciągu tych długich lat.

Dziękuję wspaniałemu przyjacielowi, wirtuozowi prawa, Derekowi Versterowi, a także Seunowi i Wilmie Beneke za ogromną pomoc. Ale przede wszystkim za to, że stawialiście się na zawołanie w Tshukudu. Dziękuję również Marianne Wilding za znakomite nagrania wideo z Tshukudu.

A także moim dwu wyjątkowym przyjaciółkom z Polski, Reni i Katji, które od lat są dla mnie jak siostry.

Personelowi Tshukudu jestem wdzięczna za lojalność i pracowitość oraz za uczucie włożone w opiekę nad zwierzętami i ośrodkiem.

Na koniec chciałabym podziękować naszym stałym klientom, którzy wciąż do nas wracają i którzy stali się naszymi przyjaciółmi.

DRZEWO GENEALOGICZNE

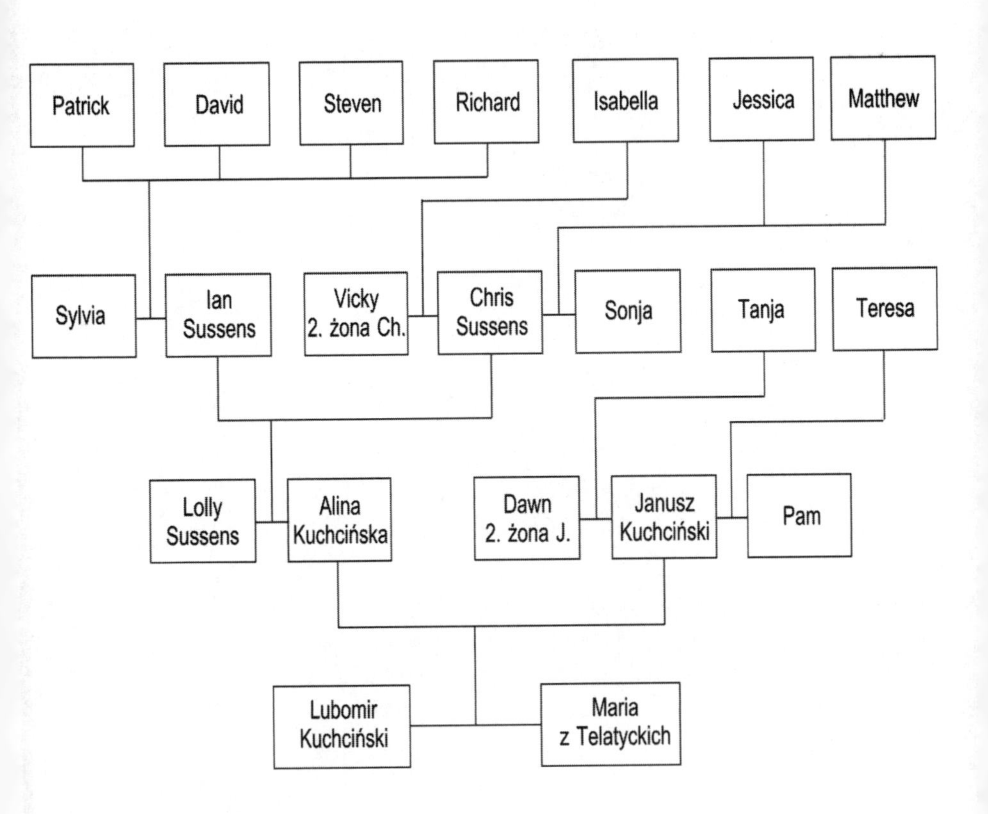

CZĘŚĆ 1

Skradzione dzieciństwo

1930–1949

Dobre czasy

To był zimny dzień w piekle.

Wiele razy słyszałam te słowa wypowiadane żartem. Też się z nich śmiałam. Naturalnie coś takiego nie istnieje, wszyscy wiedzą, że w piekle jest gorąco! Ale tam było inaczej. Syberia to ponure miejsce nawet w środku pięknego lata. A była zima, i to z tych najgorszych. Kobiety musiały wycinać bloki ziemi i ustawiać je w stosy wokół namiotów, żeby w środku było trochę cieplej. To zapewne pomagało, lecz nie na tyle, żeby dało się zauważyć zmianę na lepsze.

Zdaje się, że wyprzedzam wypadki. Bywały i dobre chwile, i bardzo dobre chwile! Być może właśnie dlatego tak trudno mi było później znosić gehennę. Dzieciństwo nie przygotowało mnie na ból i poniżenie.

Ja, Alina Kuchcińska, przyszłam na świat w Polsce 6 czerwca 1930 roku. Moi rodzice byli najwspanialszymi ludźmi na świecie. W Afryce Południowej wszyscy mówią do mnie Ala, w Polsce moje imię przybrało zdrobniałą formę Alutka. Tak nazywano mnie w rodzinie. Mój dom przepełniała miłość i radość.

Ślub Mamy i Taty, kwiecień 1929

Rodzice nigdy się nie kłócili. Ojciec, Lubomir Kuchciński, z zawodu sędzia, ubóstwiał moją mamę. Nazywała się Maria Telatycka i była zacną, kochającą kobietą.

Mieszkaliśmy w przepięknym domu w Święcianach koło Wilna, na terenach należących obecnie do Litwy (wówczas stanowiły część Polski).

Moje dzieciństwo było cudowne. Mam brata Janusza o dwa lata młodszego ode mnie. Był niesforny i psotny od urodzenia. Z całą pewnością nie wrodził się w ojca, dżentelmena w każdym calu, zawsze błyszczącego królewskimi manierami zarówno w to-

Ojciec

warzystwie, jak i w pracy. Nie mogłam zrozumieć, w jaki sposób Janusz znalazł się w naszej idealnej rodzinie. Powiedziałam kiedyś do mamy:

— Na pewno wzięłaś nie swoje dziecko. W szpitalu musieli go zamienić.

To dziwne, lecz w Polsce, jeśli mężczyzna był sędzią, jego żonę nazywano „sędziną". Taka drobiazgowa dbałość o tytuły wydaje mi się nieco przesadna. W dalszym ciągu się do tego nie przekonałam. Mama była bardzo zaangażowana w działalność społeczną. Pogodna, towarzyska kobieta, uwielbiana przez wszystkich, aż do śmierci troszczyła się o tych, którym nie sprzyjała fortuna. Nasz dom tętnił śmiechem i radością. Pogodna twarz mamy nie zdradzała trudnych chwil przeżytych w młodości. W czasie pierwszej wojny światowej moja mama była studentką, mieszkała w majątku ziemskim. Rosjanie spalili majątek, a ona wraz z całą rodziną została wywieziona na Syberię. To musiały być dla niej ciężkie czasy, lecz rzadko o nich opowiadała. Jej życie się zmieniło, kiedy wyszła za mąż za mojego ojca.

Po latach, w Afryce wspominała:

Mama

— Wiesz, twój ojciec mnie uwielbiał. Kłótnia nie istniała w naszym domu, twój tato mnie kochał i szanował, był prawdziwym dżentelmenem. Nie musiałam nigdy słuchać przykrych słów, byłam jego księżniczką pod każdym względem.

Jako małe dziecko miałam nianię Emilię, wspaniałą osobę; uważano ją za członka rodziny, a nie za służącą. Moja mama odnosiła się do każdego jak do równego sobie.

Dom był ogromny, zawsze gotowy na przyjęcie gości. Jedzenia nie brakowało, nie musieliśmy się o nic martwić. W tych czasach nie istniały ani zmywarki, ani pralki, pomimo to odbywało się mnóstwo przyjęć. Ciągle coś się działo — w piwnicy składowano jabłka, tata robił tam wino, a mama pyszne marmolady.

Gra w brydża stanowiła jedną z ulubionych rozrywek rodziców, którzy oprócz tego chętnie pływali kajakiem i kąpali się w pobliskich jeziorach. Spędziliśmy nad wodą wiele cudownych rodzinnych weekendów. Wszystko to razem sprawiło, że miałam dzieciństwo jak z bajki.

Zimy w Święcianach były surowe, na wzgórzach leżał śnieg. Wyjście do szkoły zmieniało się w prawdziwą wyprawę. Zjeżdżaliśmy ze wzgórz na nartach, przez lasy jeździliśmy konnymi saniami. Mały Januszek leżał szczelnie opatulony pod kocem.

Dwa wspomnienia z tamtych dni na zawsze pozostały w mojej pamięci. W wieku mniej więcej sześciu lat pojechałam z ciocią na wakacje do majątku pod Białymstokiem. Pewnej nocy piorun uderzył w stodołę pełną siana i wybuchł wielki pożar. Zostałam sama, bo wszyscy dorośli pospieszyli ratować stodołę; zakazali mi wychodzić z domu. Do tej pory nigdy nie byłam całkowicie bez opieki. Przez okno widziałam tylko ogromny płomień spotęgowany odbiciem w znajdującym się tuż koło domu zbiorniku wodnym przy śluzie. Siano płonęło żywym pomarańczowym płomieniem. Wielu ludzi doznało poparzeń, próbując ratować stodołę; ranni

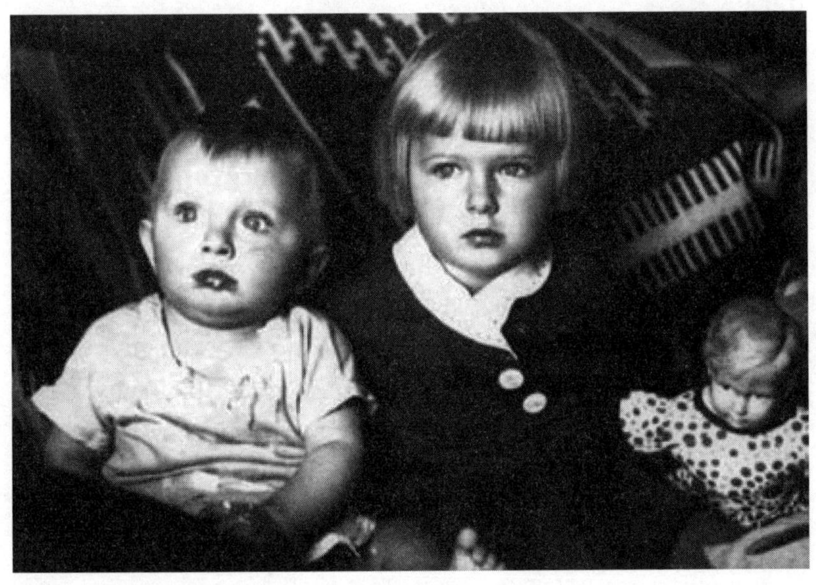

Janusz i ja w dzieciństwie

Emilia, Janusz i ja

przychodzili do domu. Ogarnęło mnie poczucie bezradności. Biegałam i krzyczałam: „Co mam robić?! Gdzie są plastry?!".

Od tamtej pory bardzo się boję błyskawic — przychodzi mi na myśl ów pożar i poparzeni ludzie. Wciąż wzdrygam się na odgłos gromu i często w myślach proszę w czasie burzy: Boże, nie pozwól, żeby w nas uderzyło. Jednocześnie modlę się o deszcz.

Drugie ważne wspomnienie jest o wiele przyjemniejsze, choć także znamienne. Działo się to w święta Bożego Narodzenia. Dla naszej rodziny był to wyjątkowy okres. Wszystko zaczynało się od wieczoru wigilijnego. Z radością uczestniczyliśmy w przygotowaniach do tego wielkiego wydarzenia. W ciągu dnia staraliśmy się nie jeść za dużo — co jest polskim zwyczajem — żeby zostawić w żołądku jak najwięcej miejsca na nadchodzącą ucztę. Kładliśmy siano na stół, który potem przykrywaliśmy białym obrusem. Zanim rodzina zebrała się przy stole, tkwiliśmy z bratem przy oknie ze wzrokiem wlepionym w niebo. Czekaliśmy na pierwszą gwiazdę, która była sygnałem do rozpoczęcia uroczystej wieczerzy.

A kiedy zabłysła na niebie, krzyczeliśmy:

— Jest pierwsza gwiazdka!

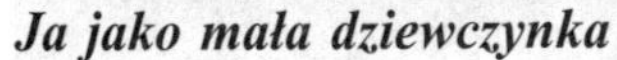

Ja jako mała dziewczynka

Moja Pierwsza Komunia

Na choince zapalano świece i rozpoczynała się wigilijna uczta. Teraz w Afryce nie palimy świec ze względu na zagrożenie pożarem, ale w Polsce było inaczej. Łamaliśmy się specjalnym rodzajem ciasta zwanego opłatkiem, który miał kształt niewielkich prostokątów z wyciśniętymi pięknymi scenami. Przypominał komunijną hostię. Opłatki zwykle rozdawał ojciec. Każdy dostawał kawałek i dzielił się nim z bliskimi. Po zjedzeniu kawałeczka opłatka domownicy życzyli sobie wzajemnie wesołych świąt, szczęścia i zdrowia w nadchodzącym roku. Kiedy mamusia i tatuś podzielili się opłatkiem, zasiadaliśmy do wieczerzy.

Podawano dwanaście bezmięsnych potraw — na pamiątkę dwunastu apostołów. Były to głównie ryby, na przykład węgorz

Renia i ja, Pierwsza Komunia, czerwiec 1939

w galarecie i śledź różnie przyprawiony. Jadło się również jarzyny, później zaś budyń śliwkowy. Po kolacji śpiewano kolędy, a dzieci z ogromną radością otwierały prezenty. Około wpół do dwunastej wszyscy wsiadaliśmy na sanie i jechaliśmy do kościoła na świąteczną mszę o północy, pasterkę. Dobiegające zewsząd dzwonki sań wtórowały biciu w kościelne dzwony. Nastrój był nadzwyczajnie piękny. Nigdy nie rozmawiam o tych przeżyciach i staram się o nich nie myśleć.

Po powrocie z kościoła zasiadaliśmy do stołu, jedliśmy ciasto i piliśmy herbatę. Rozmawialiśmy z ożywieniem aż do świtu. Stanowiliśmy mocno związaną, szczęśliwą, pełną radości rodzinę.

W pierwszy dzień świąt nie chodziliśmy rano do kościoła. Wstawaliśmy o jedenastej, jedliśmy tradycyjnie szynkę i inne smakołyki, które czekały na nas na stole.

Ważną rolę w moich wspomnieniach z dzieciństwa odgrywała bliska przyjaciółka Renia Góra, która mieszkała w pobliżu. Spędzałyśmy razem każdą wolną chwilę. Nasza przyjaźń przetrwała próbę czasu.

Z raju do czyśćca

To cudowne życie miało się raptownie skończyć. Zaczęto mówić o wojnie, o tym, że Polskę mogą zaatakować Niemcy. Byłam dzieckiem, niewiele pamiętam z tego okresu. Armia niemiecka uderzyła na zachodnią część Polski. Pod koniec pierwszej wojny światowej zachodni alianci podpisali traktat wersalski z niemieckimi przywódcami, którzy byli mu bardzo niechętni. Usiłowano w ten sposób zapobiec przyszłym niemieckim napaściom. Jak się później okazało, Niemcy nie zamierzali go respektować.

W roku 1933 Hitler został wybrany na kanclerza Niemiec. Politycy z wyczerpanych wojną krajów Europy Zachodniej uważali, że dąży do odbudowania niemieckiej dumy narodowej. Chcąc uniknąć następnego konfliktu, alianci nie wtrącali się, gdy Hitler zaczął prowadzić politykę *Lebensraum* (rozszerzania przestrzeni życiowej). Jednakże w 1936 roku wprowadził wojska do Nadrenii, a dwa lata później zajął tę część terytorium Czechosłowacji, w której ludność posługiwała się językiem niemieckim. W 1939 roku zaanektował całe Czechy.

Już w 1938 roku Stalin zaczął patrzeć podejrzliwie na ambicje Hitlera. Jednakże zabiegi Sowietów o współpracę Brytyjczyków i Francuzów przeciwko nazistowskim Niemcom spełzły na niczym. Obawiając się daremnej, prowadzonej w pojedynkę wojny z armią niemiecką, Stalin zgodził się na pakt o nieagresji zaproponowany przez Hitlera.

Pakt Ribbentrop—Mołotow został podpisany 23 sierpnia 1939 roku. Europę Wschodnią podzielono na strefy wpływów obu państw. Polska padła ofiarą tego rozbioru. Z punktu widzenia Niemców dobrą stroną owego porozumienia było to, że naziści mogli się skupić na jednym froncie. Sowieci zyskali sposobność zaanektowania części Polski bez obawy o konflikt z Niemcami. Armia niemiecka przekroczyła zachodnią granicę Polski 1 września 1939 roku. Polskie wojsko nie mogło się równać z dobrze uzbrojonymi Niemcami, nasza armia została pokonana w ciągu kilku tygodni. 17 września tego samego roku siły ZSRR zaatakowały Polskę od wschodu.

Wyczuwałam wtedy niepokój rodziców, lecz dopiero gdy zapowiedzieli mi, że na dźwięk syren powinnam schodzić do piwnicy, gdyż może on oznaczać bombardowanie, zdałam sobie sprawę, że coś naprawdę niedobrego dzieje się wokół nas. Pewnego razu szłam z Januszem ulicą, kiedy zawyły syreny. Jakaś kobieta złapała nas za ręce i wciągnęła do piwnicy. Byłam za mała, żeby rozumieć politykę i to, co się naprawdę dzieje. Wiedziałam tylko tyle, że nasza część Polski znalazła się pod okupacją sowiecką. Dowiedziałam się także, że mój szesnastoletni kuzyn Stach Gawroński wstąpił do ruchu oporu. Wkrótce potem zginął.

Wówczas nie miałam za sobą jeszcze ciężkich doświadczeń. Najgorszą rzeczą, jaka mi się przydarzyła, było zachorowanie na

Mój ojciec (drugi od lewej) w sędziowskiej todze

odrę. Janusz miał dyfteryt, a ja rzucałam mu słodycze przez okno, bo nie wolno mi było się do niego zbliżać.

Później usłyszeliśmy, że ZSRR i Niemcy zawarli sojusz. Brzmiało to tym groźniej, że Niemcy okupowali zachodnią część Polski, a Sowieci — wschodnią. Pamiętam sowieckie czołgi toczące się ulicami miasteczka. Rodzice byli przygnębieni, ale ja, dziecko, nie przejmowałam się zbytnio wojną. Mój świat składał się z domu, rodziny i przyjaciół. Wychowano mnie w poszanowaniu wartości, wpojono, co jest dobre, a co złe, dlatego postępowanie wielu Polaków, zwłaszcza tych, którzy mieszkali w naszym mieście, stanowiło dla mnie zagadkę. Nie mogłam pojąć, dlaczego niektórzy witają najeźdźców girlandami kwiatów i machają na ich cześć czerwonymi flagami. Ludzie bywają tacy chwiejni, zmieniają się w zależności od kierunku, z którego zawieje wiatr. Przejawy tej cechy miałam później oglądać wielokrotnie.

Mój ojciec oraz inni urzędnicy musieli wyjechać z miasta i uciekać na Litwę. Nasz wielki dom nie zapewniał już bezpieczeństwa. Komuniści gardzili kapitalizmem, uważali, że trzeba go zwalczać. Tatuś zdołał zabrać nas z domu, zanim zostaliśmy aresztowani przez milicję utworzoną przez tych rodaków, którzy sympatyzowali z Sowietami. Umieścił nas w skromnym domku na przedmieściu, a sam musiał uciekać, żeby nie narażać nas na niebezpieczeństwo.

Sowieci byli wszędzie. Oficerowie wchodzili do domu i pytali, ile jest w nim pomieszczeń. Jeśli były dwie sypialnie i pokój, mówili:

— Zostawimy wam jedno pomieszczenie.

Ich zdaniem rodzinie nie był potrzebny cały dom, zajmowali więc pokoje i kwaterowali tam sowieckich żołnierzy. Nas także nie oszczędzono. Mama, Janusz i ja musieliśmy cierpieć upokorzenie, gnieżdżąc się w jednym pomieszczeniu. Kiedy ojciec wrócił, zamieszkał razem z nami.

Mieliśmy wiele szczęścia, Bóg otaczał nas opieką w ciągu całego mojego życia. Sowiecki oficer w naszym domu okazał się zacnym człowiekiem. Większość sowieckich żołnierzy pochodziła z chłopstwa i bardzo się od nas różniła, ale ten mężczyzna był wielkoduszny. Częstował nas słodyczami, a nawet przynosił jedzenie, kiedy go nam zabrakło. Mama nauczyła się mówić po rosyjsku w czasie pierwszej wojny światowej i zsyłki na Syberię, więc mogła z nim rozmawiać.

Początkowo NKWD traktowało miejscowych życzliwie. Czekiści wydawali ruble w sklepach i zachowywali się tak, jakby chcieli sobie zjednać ludzi. Dzieciom wolno było chodzić do szkoły. Kościoły pozostały otwarte (był to bardzo sprytny krok Sowietów, bo gdyby je zamknęli, podniósłby się głośny protest), jednakże obraz Matki Boskiej z Dzieciątkiem, wiszący w naszej klasie, został zastąpiony portretami Lenina i Stalina. Zauważyliśmy również, że miejsca niektórych kolegów opustoszały. Ludzie zajmujący stanowiska w administracji państwowej, przedstawiciele kleru, sądownictwa i biznesu zostali wywiezieni na Syberię, lub zniknęli w inny sposób. Stanowili potencjalne zagrożenie dla okupanta, gdyż mogli organizować ruch oporu. Nikt nie wiedział, co się z nimi stało. Podejrzewaliśmy, że nigdy więcej ich nie zobaczymy. Miałam zaledwie dziewięć lat, był to dla mnie bardzo smutny okres, czas chaosu i niepewności. Ojciec musiał się ukrywać, brakowało mi poczucia bezpieczeństwa. Nie rozumiałam konsekwencji toczących się wydarzeń. Później tatuś wrócił do domu i tu się ukrywał. Gdy Sowieci zajęli Litwę, tato znów musiał ratować się ucieczką.

Pewnego dnia w lutym jeden z oficerów ostrzegł mamę, że milicjanci szukają ojca, a jeśli go znajdą, nie wiadomo, jaki los go czeka. Polskich inteligentów rozstrzeliwano lub wtrącano do więzień i słuch o nich ginął. Pamiętam tylko, że ojciec włożył płaszcz. Zapamiętałam czarny kolor tkaniny. Wziął kapelusz oraz walizeczkę i przekroczył granicę obszaru Polski okupowanej przez Niemców. Zniknął z naszego życia na osiemnaście lat.

13 kwietnia wcześnie rano obudziły mnie hałasy dobiegające z domu sąsiadów. Emilia, nasza niania, wyszła, żeby się zorientować w sytuacji.

W domu tym mieszkała Renia z rodziną. Renia opowiadała mi później, jak milicjanci z bagnetami zaczęli walić w drzwi, oznajmiając mieszkańcom, że zostaną zabrani w bezpieczne miejsce. Na szczęście ojciec mojej przyjaciółki, wysokiej rangi funkcjonariusz polskiej policji, zdążył wcześniej uciec. Moja mama i Emilia pospieszyły przyjaciołom na pomoc. Emilia wróciła po chwili, żeby sporządzić kakao. Jednakże milicjanci przystawili im bagnety do pleców i nie pozwolili wyjść z domu. Następnie zapytali matkę Reni, czy wie, gdzie mieszka pani Kuchcińska. Nie podejrzewali, że moja matka jest tuż obok i pomaga w pakowaniu.

Zobaczyłam, że cała rodzina pod nadzorem milicji wsiada na sanki. Nie wiedziałam, że nas również szukają funkcjonariusze. Niestety, nie było mi dane cieszyć się spokojem. Gdy tylko milicjanci dowiedzieli się, kim jesteśmy, kazali nam się pakować. Oznajmili, że my też zostaniemy zawiezieni w „bezpieczne miejsce". Wpadli do domu i zabrali wszystko, co miało jakąkolwiek wartość. Kiedy funkcjonariusze się oddalili, jeden z sowieckich żołnierzy podszedł do mamy i poradził jej spakować ciepłe ubrania i wziąć album z rodzinnymi zdjęciami. A gdy zbliżyli się, pozostali żołnierze, krzyknął:

— Prędzej! Prędzej!

Wzięłam lalkę, ale nie było to dla mnie wielką pociechą. Nie mogłam znaleźć w sercu ciepłych uczuć nawet dla żołnierza, który okazał nam życzliwość. Moja nienawiść była przeogromna. Ci, którzy odebrali nam piękny dom i skazali ojca na wygnanie, teraz pozbawiali nas reszty majątku.

Zostaliśmy zawiezieni na dworzec kolejowy, gdzie spotkaliśmy Renię i jej rodzinę. Zobaczyliśmy setki ludzi — kobiet, dzieci i starców — których znaliśmy z widzenia. Było ciemno i zimno, panował straszny chaos. Po dłuższym oczekiwaniu na peronie usłyszeliśmy gwizd pociągu towarowego, który zabrzmiał jak krzyk bólu. Bezceremonialnie wpędzono nas do wagonów używanych zwykle do transportu bydła. Panowały w nich fatalne warunki: w oknach tkwiły kraty, podłogę stanowiły drewniane deski. Nie było łóżek ani posłań, musieliśmy spać na deskach. W środku tłoczyło się mnóstwo ludzi. Zatrzaśnięto za nami drzwi i zostaliśmy w ciemności, jedyne światło zakradało się ze szpar między deskami w ścianach wagonu i malutkich, zakratowanych okienek. Pociąg był bardzo długi, a my ściśnięci niczym sardynki w puszce. Nie było ubikacji, musieliśmy się załatwiać w szczeliny między nierównymi deskami. Jeśli chciałam się położyć, musiałam zsunąć się na dół, żeby znaleźć odrobinę miejsca. Co gorsza, mama miała infekcję ucha i nie czuła się dobrze. Nie ona jedna cierpiała, ludzie płakali i chorowali. To były straszne dni. Męczarnia tej podróży trwała prawie miesiąc.

Nie wiedzieliśmy, dokąd wiezie nas pociąg. Zdawało się, że przemierzamy całą wschodnią część Europy. Moja przyjaciółka Renia rozpoznała niepozorne pasmo górskie Uralu. Przynoszono nam bardzo słoną zupę z mnóstwem pieprzu i kawałkami twardego chleba. Czasem wczesnym rankiem pociąg zatrzymywał się na bocznicy i wtedy wymieniałam jakiś przedmiot, na przykład wstążki do włosów, na kubek wody, by ugasić pragnienie wywołane zupą. Ludzie, których napotykaliśmy na tych przystankach, również sprawiali wrażenie wygłodniałych. Widziałam, jak niektórzy grzebią w pojemnikach na śmieci. Wyglądali nędznie, walczyli sami o przeżycie.

Renia uważała, że nam się poszczęściło, bo jej niania dała rodzinie worek z suchym chlebem. Od miesięcy żyli w lęku przed wywózką. 10 lutego deportowano wiele rodzin, a oni wiedzieli, że im również to grozi, więc zdążyli się przygotować. Wysuszone pieczywo bardzo się przydało. Sowieci czasem dawali nam gorącą wodę zwaną *kipiatok*, w której moczyliśmy chleb.

Tylko dwa razy w czasie długiej podróży pozwolono nam skorzystać z toalet na bocznicy. Poza tymi dwoma wyjątkami kazano nam załatwiać się pod wagonami na sąsiednich torach. Reni utkwił w pamięci straszliwy widok pewnego chłopczyka, mniej więcej sześcioletniego, który właśnie się załatwiał, kiedy wagony ruszyły. Wciąż pamięta przeraźliwy krzyk jego matki, gdy koła miażdżyły dziecko.

Wspominając tamten koszmar, Renia zauważa:

— Ludzie są okrutni i nie uczą się na swoich błędach. Okrucieństwa dzieją się w dalszym ciągu na całym świecie. Hitler zamordował w komorach gazowych miliony Żydów i Polaków. Miliony zginęły z rąk Sowietów, teraz też ludzie są zabijani na wszystkich kontynentach. Czy to się kiedyś zmieni?

W pewnym momencie pociąg się zatrzymał. Na drodze obok torów leżały trupy. Musiałam przez nie przejść. W tym kraju panował głód, jego ofiarą padali nie tylko jeńcy wojenni. Ludzie ginęli także z innych powodów, tak okropnych, że lepiej o nich nie myśleć. Stąpanie nad martwymi ciałami nie było łatwe. Mama wzięła mnie za rękę i powiedziała:

— Idź przed siebie i nie patrz.

Miałam nogi jak z waty, ale zrobiłam, co mi kazała.

Janusz zapamiętał tylko jedno wydarzenie z tej podróży do piekła. Któregoś dnia musieliśmy wysiąść, żeby się wykąpać. Przypuszcza, że chodziło o dezynfekcję. Wszystkim kazano zdjąć ubrania. Nie było szacunku dla przyzwoitości, mężczyźni i kobiety musieli się rozbierać na widoku. Ściśnięty między nagimi ciałami Janusz, który miał zaledwie sześć lat, spojrzał w górę i zobaczył stojącą tuż obok nagą kobietę. Wtedy po raz pierwszy widział kobietę bez ubrania. Brat powiedział mi, że całkiem mu się to spodobało — może była to zapowiedź tego, co czekało go w przyszłości?

Życie na zesłaniu

Zdawało się, że pociąg sunie przez bezmiar nieba i przestrzeni w nieskończoność. Przejeżdżaliśmy nad powolnie toczącymi swe wody rzekami, które wiły się niczym węże, przecinaliśmy bezkresne równiny, które na patrzących z zatłoczonych wagonów robiły złowrogie wrażenie. Myśleliśmy także o losie cara Mikołaja II i jego rodziny, wymordowanych w Jekaterynburgu. Jak daleko od tego strasznego miejsca się znajdowaliśmy? Jaki los jest nam pisany? Czy równie straszny jak los tych Polaków, którzy trafili tu przed nami?

Po przeraźliwie długiej podróży dotarliśmy do celu. Pod bagnetami kazano nam wysiąść na stacji oddalonej o jakieś szesnaście mil od małej wioski w północnym Kazachstanie. Ciężarówkami przewieziono nas do wsi i bezceremonialnie zostawiono na środku placu z walizkami i wszystkim, co ze sobą mieliśmy. Po chwili zapędzono nas do dużego budynku przypominającego świetlicę. Powiedziano nam, że musimy sobie znaleźć zakwaterowanie w wiosce. Wyszliśmy na drogę, w której błyszczały kałuże i czarne błoto.

Chaty we wsi były malutkie i ubogie. Przeważnie składały się z gołych drewnianych ścian, na posadzkach leżał krowi gnój służący do ocieplania wnętrza. W wielu skromnych domach była tylko jedna izba, w której spała cała rodzina. Ci wieśniacy, którym lepiej się wiodło, mieli jeszcze kuchnię. Mamie, tak samo jak innym kobietom z transportu, trudno było wlec się przez błoto. Pukała do wszystkich drzwi, błagając, żeby pozwolono jej zamieszkać. Miejscowi traktowali nas nieprzyjaźnie, gdyż powiedziano

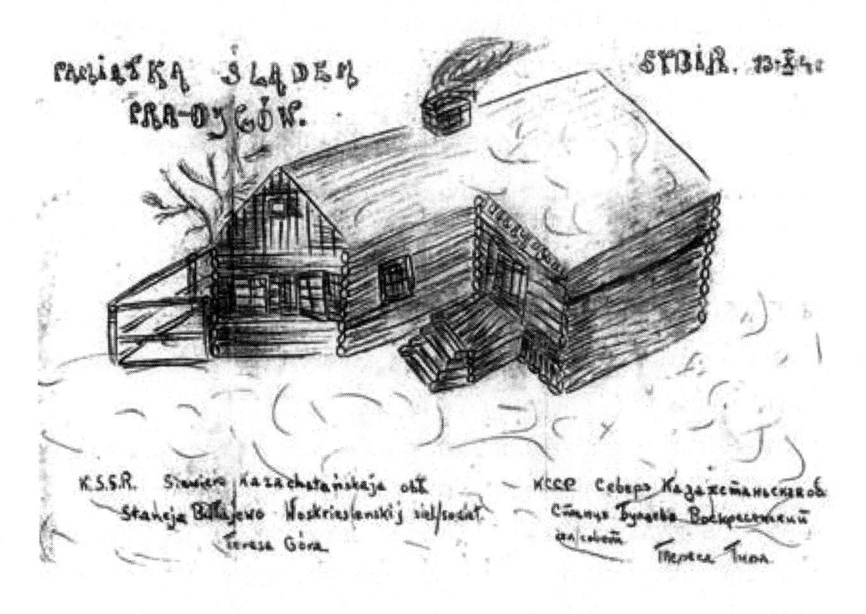

Pamiątka ze szlaku przodków (zsyłka z Polski na Syberię w latach 1830 i 1863). Rysunek chaty, w której mieszkaliśmy na Syberii, tak jak zapamiętała ją Renia

im, że jesteśmy wrogami. Nam, Polakom, przypięto łatkę bogaczy, ciemiężycieli tych, którzy nie mieli nic. Jednakże, kiedy zaczęliśmy rozmawiać z żyjącymi tu ludźmi, ich nastawienie się zmieniło.

Mieszkańcy jednej z chat, do której mama zapukała, zgodzili się podzielić z nami miejscem w swoim domu, jeśli nie przeszkadza nam to, że będziemy spali wraz z nimi na podłodze w tej samej izbie. Skorzystaliśmy z gościny i spędziliśmy z tymi ludźmi kilka dni. Tam rozpoczęła się nasza prywatna wojna z pchłami i wszami.

Później mama Reni znalazła małą pustą szopę za budynkiem kołchozu i postanowiliśmy w niej zamieszkać. Do tej szopy wprowadziły się cztery rodziny, matki i siedmioro dzieci.

W tym nowym „luksusie" nie było nawet najprostszych udogodnień. Na środku dużej izby stał piecyk. Obok znajdował się drugi, mniejszy pokój. Kobiety i ich dzieci musiały bardzo się postarać, żeby szopa nadawała się do zamieszkania. Trzy rodziny spały na deskach w głównej izbie, w której także szykowaliśmy posiłki, a czwarta rodzina ulokowała się w małym pokoju. Mieszkaliśmy tam mniej więcej przez miesiąc.

Musieliśmy sami zbierać drewno na opał. Nie mieliśmy na to pozwolenia, toteż w gruncie rzeczy je kradliśmy. Wracaliśmy z tych wypraw pokryci czerwonymi plamami, drapiąc się. W lesie podczas zbierania gałęzi atakowały nas miliony komarów. Wszyscy byli pokąsani. Ani moja mama, ani mama Reni nie miały pojęcia o rąbaniu drew. Kiedyś jedna z kobiet prawie odcięła sobie stopę siekierą. Na szczęście mama Reni znała się trochę na udzielaniu pierwszej pomocy i zabandażowała stopę, która zagoiła się nad podziw dobrze.

Nie wszystko na zesłaniu było straszne. Poznawaliśmy las, wymyślaliśmy gry, a nawet odgrywaliśmy role Indian i kowboi. Bawiliśmy się też w odbijanie piłki — przypominało to nieco

Rosyjska szkoła. Siedzę w drugim rzędzie od góry, druga od lewej

amerykański baseball. Jako dzieci żyliśmy w stanie błogiej nieświadomości prawdziwych niebezpieczeństw i trudów, prawdopodobnie dlatego, że matki sprawowały nad nami pieczę. Janusz uważał nawet, że był to okres wielkiej przygody. Kiedy było za zimno na zabawę, męczył się, zmuszony siedzieć w malutkiej, zatłoczonej drewnianej chatce.

Polscy zesłańcy spotykali się wieczorami na wspólnej modlitwie. Modliliśmy się o to, by przeżyć zesłanie i wrócić do domu. Polskie dzieci musiały chodzić do sowieckiej szkoły. Większość z nas nie znała rosyjskiego, ale szybko się go nauczyliśmy i wkrótce należeliśmy do prymusów. Z okazji świąt Bożego Narodzenia wystawiliśmy w szkole sztukę i wykonaliśmy dla kolegów i koleżanek polskie tańce.

To była nieustanna walka o przetrwanie w sowieckim systemie ucisku. Siły naszym matkom dodawały wiara w Boga i patriotyzm. Dzieci były zmuszane do uczęszczania do rosyjskich szkół, w których poddawano je indoktrynacji i wpajano ateizm.

Janusz pamięta szkołę, do której chodziliśmy. Na okładce jednego z podręczników widniał portret Stalina. Brat narysował na nim obrazki, całkowicie zniekształcając twarz. Nauczyciel to zobaczył i Janusz dostał najgorsze lanie w życiu. Pierwszy raz zbito go wtedy rózgą. Dzięki Bogu skończyło się tylko na tym. Czasem dzieci wraz z rodzicami ginęły po tego rodzaju incydentach.

W wiosce mieszkało wielu ludzi, którym wiodło się gorzej od nas. Za wsią stała malutka lepianka, w której mieszkała żydowska rodzina. Było tam pięcioro dzieci, rodzina nie miała absolutnie nic. Polskie rodziny dzieliły się z nimi wszystkim, co miały. Dawaliśmy im kawałki chleba, za które byli nam bardzo wdzięczni.

Często sami nie mieliśmy co jeść i kładliśmy się spać głodni. Jednakże powodziło nam się lepiej niż kobietom i dzieciom zesłanym z Polski na samym początku. Wywieziono ich do północnej części Rosji, do syberyjskiej tajgi, i kazano karczować las; byli całkowicie odcięci od świata. Dostawali dziennie około pięciuset gramów rosyjskiego chleba, żadnych owoców ani warzyw. Wielu zesłańców zachorowało na szkorbut, wielu zmarło. Ci, którzy przeżyli, opiekowali się sierotami, aby nie trafiły do rosyjskich sierocińców okrytych najgorszą sławą.

Kobiety mieszkające w naszej wiosce musiały codziennie rano stawiać się do pracy w sowieckiej spółdzielni zwanej kołchozem. Kazano im uprawiać ziemię zmarzniętą w czasie surowej zimy na kamień. W kołchozie wydawano żywność, zwykle kawałek chleba albo butelkę mleka. Była to zapłata za ich trud. Mamie udawało się przynosić trochę jedzenia do domu. Nigdy nie było go dość dla naszych rodzin, musieliśmy więc prowadzić wymianę z miejscowymi chłopami. Oddawaliśmy prześcieradła, bluzki lub koraliki w zamian za chleb, ziemniaki lub mleko. Czasami mama przynosiła danie, które stanowiło podstawę diety tutejszych wieśniaków i składało się ze spieczonego boczku, solonej słoniny i chleba, który moczyli w sosie. Smakowało to okropnie i było przeraźliwie tłuste, lecz głód doskwierał nam tak bardzo, że pochłanialiśmy wszystko z apetytem.

Znamienne było to, że z Polski nie zesłano biedaków, tylko rodziny ludzi wykształconych, zamożnych, zajmujących wysokie stanowiska: oficerów policji i wojska, nauczycieli, profesorów, księży. Komuniści doszli do wniosku, że po usunięciu takich osób łatwiej będzie wymazać polskie dziedzictwo narodowe. Wielu spośród aresztowanych mężczyzn zostało rozstrzelanych albo zamkniętych w więzieniach i nigdy więcej ich nie widziano. W Katyniu i podobnych miejscach zamordowano około dwudziestu tysięcy polskich oficerów, żołnierzy, policjantów i urzędników, a potem pogrzebano ich w masowych grobach. Po wojnie przeprowadzono dochodzenie. Rosjanie obarczyli winą Niemców. Tę straszliwą zbrodnię popełniło NKWD. Dopiero po upadku komunizmu Rosjanie przyznali się do niej. Nas nikt nie pilnował w wiosce, a mimo to czuliśmy się jak więźniowie. Nie dało się stamtąd uciec, bo nie było dokąd. Gdyby ktoś spróbował ucieczki, zginąłby albo z głodu i mrozu w głębokim śniegu, albo od kuli w plecy.

Pewnego dnia w kominie naszej szopy zaczęło się palić. Wielu ludzi przyszło z wiadrami, żeby pomóc nam gasić pożar; bali się, że ogień się rozszerzy i zagrozi wiosce. Władze uznały, że szopa nie nadaje się do zamieszkania ze względu na zagrożenie pożarem, więc musieliśmy poszukać innej kwatery. Rodziny się rozdzieliły, każda musiała sobie znaleźć kąt w domu jakiegoś wieśniaka. Trafiliśmy do chaty, w której spaliśmy na siennikach przy ogniu. Za naszymi posłaniami znajdował się otwór prowadzący do obórki dla bydła. Dzięki krowom było zimą cieplej w tym nędznym domostwie.

Wiosną Sowieci zgromadzili wszystkie kobiety, które miały dwoje lub jedno dziecko. Mieliśmy zostać przeniesieni w inne miejsce i cieszyć się „zaszczytem" pomagania w budowie sowieckiej Rosji. Nie dano nam żadnego wyboru, byliśmy więźniami, mimo że nie siedzieliśmy za kratami. Znów zapędzono nas do bydlęcych ciężarówek i wywieziono do innej części Kazachstanu. Nasz „zaszczyt" polegał na tym, że mieliśmy kłaść linię kolejową między dwoma wioskami. Mama i inne kobiety musiały układać tory. Musiały także zbudować trzy baraki przy linii kolejowej, które odtąd służyły nam za mieszkanie. Były to drewniane szopy, w których spaliśmy na deskach ułożonych pod ścianami. W każdym baraku umieszczono po dwadzieścia, trzydzieści osób. Jedna z matek zostawała codziennie w prowizorycznej chacie, by opiekować się dziećmi. Resztę zapędzano na roboty. Co kilka tygodni musieliśmy przenosić baraki, w miarę jak powstawała linia kolejowa.

Po pewnym czasie moja mama wraz z częścią pozostałych kobiet została przeniesiona do innego obozu; mieszkaliśmy tam w namiotach. Oddzielono nas od Reni i jej rodziny, która została w barakach. Nie wiedziałam, dlaczego przenoszą nas z miejsca na miejsce. Może stanowiło to część programu psychologicznej dezorientacji — Sowieci nie chcieli pozwolić, by zesłańcy się zadomowili. W nowym obozie było tylko dziesięć ustępów na setki osób i jeden piecyk, przy którym można było się ogrzać i ugotować posiłek; musiał wystarczyć dla trzydzieściorga zesłańców. Głodowaliśmy! Jak piętnaście czy dwadzieścia rodzin może ugotować coś do jedzenia na jednym małym piecyku? Trzeba było ustawiać się w kolejce. Pamiętam okrucieństwo ludzi. Stawiałam na piecyku mały garnuszek z wodą lub mąką, a dorośli mnie odpychali. Kiedy jednak ktoś zachorował lub zmarł, nigdy nie odmawiano rodzinie pomocy.

Aby przeżyć, musieliśmy pracować. Trudniliśmy się podkradaniem drewna na opał, ustawialiśmy się w kolejce po rosyjski chleb i kradliśmy sól z ciężarówek. Wstawałam bardzo wcześnie rano, nawet o czwartej, żeby znaleźć się na początku kolejki. Stałam potulnie i czekałam. Janusz wstawał późno i wcześnie wracał, a ja przychodziłam do obozu po zmroku. Mój brat radził sobie w bardzo sprytny sposób: rozglądał się za jakąś starszą panią o łagodnej twarzy i mówił jej, że jego mama tam stała. Ludzie z tyłu kolejki krzyczeli, ale starsza kobieta zawsze wpuszczała go przed siebie. Złościło mnie to. Janusz już w tym wieku był ślicznym i czarującym chłopcem. Czasem miałam ochotę go udusić, choć ani na chwilę nie przestałam go kochać.

Panowały niewiarygodne mrozy, a namioty nie dawały wystarczającej ochrony przed zimnem. Kobiety ze wszystkich sił starały się poprawić naszą sytuację. Wycinały torf, brunatne grudy ziemi, na których kiedyś być może rosła trawa, i układały w stosy wokół namiotów, tworząc coś w rodzaju warstwy ocieplającej. Płótno było śliskie i grudy się zsuwały, lecz kobiety nie dawały za wygraną. Ze wszystkich sił walczyły o każdą odrobinę ciepła.

Nasze życie było niekończącą się walką o przetrwanie. Latem jedną z głównych upraw w państwowych gospodarstwach stanowiły słoneczniki. Uprawiano je dla ziaren, wielkiego przysmaku Rosjan. Wczołgiwaliśmy się z Januszem na pola i kradliśmy tyle słoneczników, ile się dało. Rzecz jasna, było to bardzo niebezpieczne. W razie przyłapania czekałaby nas surowa kara, chłosta albo coś gorszego. Wyłuskane ziarna sprzedawaliśmy pasażerom pociągu, kiedy stawał na bocznicy; musieliśmy się mieć na baczności przed strażnikami. Czasem pociąg się nie zatrzymywał, biegliśmy więc wzdłuż wolno sunącego składu, krzycząc:

— Szklanka za rubla, szklanka za rubla!

Za kilka rosyjskich rubli mogliśmy iść do stołówki i kupić trochę nędznego kapuśniaku. Janusz pamięta, że znakomicie się spisywał w roli złodziejaszka. Uważa, że to właśnie wtedy wstąpił na złą drogę i że nie uczył się wówczas złodziejstwa, tylko sztuki przetrwania. Musieliśmy kraść, aby przeżyć. Byłam nieco starsza od brata i wiedziałam, że to, co robimy, jest złe, lecz kradzież była dopuszczalna na zesłaniu. Dzieci sędziego ze Święcian nigdy by się nie posunęły do czegoś takiego. Janusz był młodszy i wciąż się uczył, co jest dobre, a co złe. Później, w wieku kilkunastu lat, nie potrafił pojąć, że kradzież jest niewłaściwa, gdyż jako małe dziecko był za nią chwalony.

W zesłańczym życiu stałam się opiekunką i nauczycielką mojego brata. Musiałam zastępować naszą mamę, która chodziła do pracy przy budowie linii kolejowej. Janusz powiedział kiedyś, że byłam bardzo dojrzała jak na swój młody wiek; zaledwie o kilka lat od niego starsza, ale już bardzo mądra. Czułam, że mam obowiązek opiekować się braciszkiem. Chyba nigdy się z tego obowiązku nie zwolniłam. Na zsyłce odebrano mi dzieciństwo i narzucono powinności osoby dorosłej. Czasem bardzo nie lubiłam siebie w tej roli.

Nasz skromny utarg ze sprzedaży nasion słonecznika dokładał się do żebraczych zarobków mamy. W reżimie komunistycznym wszyscy pracują dla państwa — mamę zmuszano do pracy przy budowie linii kolejowej. Był to ogromny wysiłek fizyczny: przenoszenie kamieni i układanie ich pod torami kolejowymi. Kobiety budzono o każdej porze nocy i kazano rozładowywać ciężarówki, a zimą podsypywać żwir pod szyny. Mama wracała późnym wieczorem albo wczesnym rankiem, wyczerpana, z odmrożonymi rękami. Przynosiła ukryty pod płaszczem kawałek chleba czy cokolwiek innego, co wydawano im w racjach żywnościowych. A my zawsze byliśmy głodni. Kiedyś, gdy głód stał się nie do zniesienia, planowaliśmy z Januszem, że złapiemy i zabijemy psa należącego do jednego z nadzorców obozu. Na szczęście nam się to nie udało.

Wśród rzeczy, które przywieźliśmy ze sobą, był garnitur ojca; mieliśmy nadzieję, że jeszcze zobaczymy tatę. Na początku nie sprzedaliśmy tego ubrania, ale później bardzo nam się przydało. Mieszkańcy okolicznych wiosek skorzystali na tych wymianach, gdyż nabywali rzeczy dobrej jakości, których inaczej nigdy by nie zdobyli. Byli to prości ludzie, którzy nigdy nie opuszczali swoich wiosek. Rodzili się w nich, brali śluby i umierali, nie zobaczywszy Sankt Petersburga ani innych pięknych miast świata. To było smutne.

Jasnym punktem szarobiałej egzystencji były paczki żywnościowe przysyłane nam przez tatę. Emilia, nasza niania, przekraczała granicę strefy Polski pod sowiecką okupacją i wchodziła do strefy niemieckiej, żeby odebrać dla nas paczki. Adres miejsca naszego pobytu zdobyła od Czerwonego Krzyża. Ojciec zdołał także przysłać lekarstwa, gdy Janusz zachorował na zapalenie płuc. Tata komunikował się z nami pod nazwiskiem przyjaciółki mamy. Pisał do nas jako kobieta.

Miałam ze sobą kuferek. Nie pamiętam, skąd go wzięłam. Może przyjechał z nami z Polski, a może znalazłam go w pierwszym domu, w którym mieszkaliśmy. Tak czy inaczej, bardzo się przydawał do składowania żywności, zwłaszcza smakołyków, które przysyłała Emilia. W naszej rodzinie to ja byłam odpowiedzialna za jedzenie. Pewnego dnia zauważyłam, że Janusz dobrał się do kuferka i pochłonął całą jego zawartość. Bardzo się rozgniewałam. Mój brat nie przejął się zbytnio moim gniewem, gdyż po raz pierwszy od dawna napełnił sobie brzuch. Po tym wydarzeniu trzymałam kuferek zamknięty. Zaczęłam gromadzić żywność i lekarstwa na czas, kiedy wszystkiego nam zabraknie. Pomimo młodego wieku byłam świadoma takiej konieczności. Janusz przychodził i prosił:

— Zjedzmy to dzisiaj.

Jednakże nie otwierałam kuferka. Jeśli coś było w wiosce dostępne, zdobywałam to i zamykałam w swojej skrytce. Udało mi się zgromadzić sporo jedzenia i jestem pewna, że w ten sposób uratowałam nam życie.

Mama była głęboko wierzącą chrześcijanką. Nasza wiara, to znaczy wiara dzieci, musiała być wówczas dość płytka. Akceptowaliśmy przekonania mamy z dziecinną ufnością, wierzyliśmy w Boga, gdyż tak nam kazano. A miałam do Niego wiele pytań: Gdzie był, kiedy Go rozpaczliwie potrzebowaliśmy? Czy karał nas za grzechy, które popełniliśmy? Czy zło świata wzbudziło w Nim tak wielki wstyd, że nas porzucił?

Często wtedy płakałam. Próbowałam powściągać emocje, powtarzając sobie, że łzy nie pomogą. Modliłam się, bo rodzice mnie tego nauczyli i wydawało mi się, że tak trzeba. Nie widziałam jednak żadnego dowodu istnienia Boga. Miałam wiele pytań, lecz bardzo mało odpowiedzi. Najważniejsze z pytań brzmiało: Czy zobaczę jeszcze kiedyś tatusia? Dostawaliśmy od niego listy i paczki, ale mnie nigdy nie opuszczały wątpliwości. Czułam, że sytuacja jest beznadziejna. Jednakże wiara mamy była silna i to ona jednoczyła naszą rodzinę.

— Nie martw się — mówiła. — Kiedyś nasz los się odwróci. Miej wiarę. Zobaczysz tatę. Cierpienie kiedyś dobiegnie końca, ponieważ Bóg istnieje.

Nie były to łatwe czasy dla chrześcijan w państwie sowieckim. Pamiętam, jak nauczycielka w szkole zerwała mi krzyżyk z szyi. Ludziom nie wolno było mówić o Bogu, za rozmawianie o religii karano. Mimo to potajemnie wciąż czczono Najwyższego. W pewnym domu, który odwiedziliśmy, pokazano nam Matkę Boską ukrytą za czerwoną flagą. Komunizm był systemem ucisku. Nie tylko my cierpieliśmy; cierpieli również miejscowi chłopi i niezliczone rzesze ludzi w całym ZSRR. Brakowało jedzenia, rozdzielano najbliższych, nie było zaufania w rodzinach, brat obawiał się brata. Władze dowiadywały się nawet o rzeczach, o których mówiono na spotkaniach rodzinnych. Później dochodziło do aresztowań. Jedynymi, którzy korzystali z reżimu komunistycznego, byli jego twórcy.

Uboga dieta i niezdrowe warunki życia zaczęły zbierać żniwo. Nabawiłam się choroby zębów, mleczne nie chciały normalnie wypadać, a pojawiły się stałe. Bardzo mnie bolało, dostałam gorączki. Mama dowiedziała się, że ktoś w sąsiedniej wiosce wyrywaa zęby. Mężczyzna ów okazał się rzeźnikiem z zawodu. Aby do niego dotrzeć, trzeba było przejść piętnaście mil. Przed wyruszeniem do dentysty musieliśmy zgłosić się do władz obozu, żeby otrzymać pozwolenie na opuszczenie naszej wioski. Później droga prowadziła przez las, a ja miałam gorączkę i trzeba mnie było bardzo zachęcać do dalszego marszu. Mama obiecała, że po dojściu do celu kupi mi cukru. Był to ogromny bodziec, gdyż od bardzo dawna nie miałam w ustach cukru ani go nawet nie widziałam.

Nie miałyśmy pojęcia, jakie są kwalifikacje rzeźnika w dziedzinie stomatologii, ale ponieważ nie było szpitali ani prawdziwych lekarzy, ludzie musieli korzystać z jego usług. Środki znieczulające ani zastrzyki nie istniały, więc wyrywanie zębów łączyło się z niesłychanym bólem. Nie mogłam powstrzymać krzyku.

Rzeźnikowi nie podobało się, że nie doceniam jego zręczności.

— Przestań wydziwiać, panienko — powiedział. — Bo nie zajmę się twoimi zębami.

O niczym innym nie marzyłam.

— Strasznie mnie boli — odparłam. — Wolę, żeby zostawił pan moje zęby takimi, jakie są.

— Uspokój się, Alutko — rzekła mama, która sama była bliska łez. — Jeśli będziesz grzeczna i przestaniesz płakać, ten miły pan naprawi ci zęby, a ja kupię ci coś ładnego.

Rzeźnik wyrwał mi sześć mlecznych zębów.

Nie pamiętam, żebym dostała obiecany cukier albo coś ładnego, przypuszczalnie dlatego, że w sklepach nie było nic do kupienia. Powrót piechotą przez ciemny las, pełny wilków i Bóg jeden wie jakich jeszcze groźnych bestii, był okropny. Miałam wrażenie, że posępne gałęzie brzóz i jodeł wyciągają się, by złapać mnie za ubranie.

A jednak nawet w tych strasznych chwilach zdarzały się maleńkie cuda. Pewnego dnia ujrzeliśmy mężczyznę idącego drogą w stronę naszych namiotów. Miał na sobie mundur, którego nie rozpoznaliśmy. Ciekawość wyciągnęła wszystkich z namiotów. Mężczyzna musiał być polskim żołnierzem, szukał przyjaciółki mojej mamy.

Gdy przemówił, poczułam się tak, jakbym usłyszała głos anioła.

— To się skończy — oznajmił. — Mąż pani przyjaciółki wyszedł z więzienia, przybyłem, żeby zabrać jego rodzinę na południe Rosji, do niego. Alianci i Sowieci połączyli siły, by walczyć przeciw Niemcom. Sowieci uwalniają jeńców, będzie wojna między ZSRR a Rzeszą. To nadzieja dla nas wszystkich.

Odcięci od świata w zapadłej kazachskiej wiosce nie wiedzieliśmy o wojennych wydarzeniach, które doprowadziły do tego, że nasz wybawiciel przybył do obozu. Pomimo ostrzeżeń zadufany Stalin nie wierzył, że Niemcy zaatakują Związek Radziecki. Źle wyposażonej armii sowieckiej stacjonującej wzdłuż zachodniej granicy nakazano unikać „prowokacji". Z tego powodu Sowieci ponieśli druzgocące straty, jednakże Armia Czerwona nie została rozbita i do grudnia 1941 roku odbudowała rezerwy. Stoczono wiele bitew, krew przelewała się po obu stronach. Po niemieckiej inwazji na Związek Radziecki Wielka Brytania zaproponowała Sowietom sojusz. 12 lipca 1941 roku podpisano porozumienie. Amerykanie także przyłączyli się do pomocy, szczególnie gdy w grudniu 1941 roku Stany Zjednoczone przystąpiły do wojny.

Jedną z najlepiej opisanych bitew było okrążenie sił niemieckich oblegających Stalingrad. W lutym 1943 Radio Moskwa ogłosiło informację o odparciu wroga. W maju 1945 Sowieci ostatecznie pokonali Niemców, opanowując przy tym większość Europy

Wschodniej. To jednak stało się długo po tym, jak bezpiecznie opuściliśmy Związek Radziecki.

Polski sierżant, który w cudowny sposób pojawił się w naszym syberyjskim obozie, rozpoznał mamę i ponaglał ją, by zebrała pieniądze na bilet kolejowy. Przekonywał, że jeśli tego nie zrobi, być może nigdy nie wydostaniemy się z Kazachstanu. Mieliśmy wyruszyć na południe i dołączyć do jednostek Wojska Polskiego. Mama w swojej dobroci żałowała przyjaciółek, które miały zostać w obozie. Uważała, że je porzuca.

Byłam zdeterminowana, chciałam, żebyśmy odeszli. Wyposażona w garnitur ojca i kilka rzeczy, które zostały w walizce na wymianę, pomaszerowałam do pobliskiej mongolskiej wioski. Byłam sama i bardzo się bałam, ale udało mi się sprzedać garnitur za sześćset rubli i torebkę mąki. Zdołałam zdobyć dość pieniędzy na opłatę za przejazd. Wsiedliśmy do pociągu towarowego wraz z innymi rodzinami i na zawsze opuściliśmy Kazachstan.

Miasto, do którego zmierzaliśmy, znajdowało się w Uzbekistanie. Przywitali nas polscy żołnierze; graniczyło to z cudem. Ubrano nas i nakarmiono, a najwspanialsze było to, że znaleźliśmy się wśród polskich wojskowych, naszych rodaków. Armią dowodził Polak, generał Anders. Przyjęliśmy to z wielką ulgą, gdyż nasze zaufanie do Rosjan było bardzo małe. Generał zwrócił się do Brytyjczyków i Amerykanów, żeby pomogli wydostać się polskim uchodźcom z sowieckiej ziemi. Nie pomnę, jak długo przebywaliśmy w obozie, ale pamiętam, że żołnierze uszyli dla Januszka mundur, z którego był niezwykle dumny.

W końcu przyszedł rozkaz, aby polskie jednostki opuściły Związek Radziecki. Wyruszyliśmy z żołnierzami. Wsiedliśmy na wojskowe ciężarówki, a później na statki, które miały przepłynąć

Morze Kaspijskie. Gdy znaleźliśmy się na otwartych wodach, rozszalała się ogromna burza. Podróż była straszna, większość pasażerów na przepełnionym statku cierpiała na chorobę morską. Musieliśmy spać w szalupie ratunkowej, było przeraźliwie zimno. Nasze walizki świeciły już wówczas pustkami, mogliśmy się okryć tylko prześcieradłem. Ludzie umierali na czerwonkę i tyfus. Wyjście do toalety było koszmarem, kolejki nie miały końca. Nie było wody pitnej. Piekielna podróż trwała dwa dni.

Teheran

Wysadzono nas na plaży, gdzie musieliśmy poddać się odwszawianiu. Dano nam jedzenie i przewieziono ciężarówkami do Teheranu. W Europie w dalszym ciągu toczyła się wojna i o powrocie do Polski nie było mowy. Odbyliśmy kolejną straszną podróż. W górzystym terenie jedna z ciężarówek potoczyła się w przepaść, wielu ludzi zginęło.

Żywność, pogoda i warunki życia w Teheranie sprawiały, że było nam bardzo ciężko. Pogoda przechodziła z jednej skrajności w drugą: panował albo mróz, albo upał. Pamiętam, że szkoła, do której chodziliśmy, znajdowała się na starym pasie startowym. Siedzieliśmy na kamieniach w przeraźliwym skwarze. Nie mieliśmy gdzie się schronić, nie mieliśmy nawet kapeluszy, które chroniłyby nas przed słońcem. Przybyliśmy z rejonu o lodowatych zimach i nasze organizmy nie mogły znieść wysokiej temperatury. Dostałam udaru słonecznego podobnie jak wiele innych dzieci.

Januszek wciąż był mały, jego chęci do życia nie dało się stłumić tak łatwo. Natomiast ja musiałam przedwcześnie dojrzeć, ale wciąż tęskniłam do dziecięcych zabaw. Zwiedzaliśmy Teheran, znaleźliśmy nawet kilka niezwykłych przejść podziemnych.

Dawano nam do jedzenia potrawy, których nie znaliśmy; nasze i tak już podrażnione żołądki się zbuntowały. Byliśmy podatni również na inne choroby. Po drugiej stronie miasta postawiono ogromne namioty mające służyć jako szpital polowy, lecz okazały się niewystarczające. W Teheranie znajduje się mnóstwo mogił Polaków, którzy wówczas zmarli.

Warunki życia w wojskowych koszarach, brak mydła i ciepłej wody, prymitywne ubikacje i wszy sprzyjały rozwojowi chorób. Pamiętam, jak mama robiła, co mogła, by uratować moje piękne jasne włosy, pomimo iż miałam wszy. Pewnego strasznego dnia mama i brat bardzo ciężko zachorowali. Wezwaliśmy karetkę. Jak już wspomniałam, szpital polowy znajdował się po drugiej stronie Teheranu, więc nie mogłam otrzymywać wiadomości o ich stanie. Bardzo się niepokoiłam. Miałam mniej więcej dwanaście lat. Kobiety w obozie nie okazywały mi współczucia. Musiałam nosić wraz z innymi ciężkie wiadro z gorącą zupą, mimo że mojej rodziny tam nie było. Każdy się kiedyś załamuje i mnie zdarzyło się to właśnie wtedy. Miałam za sobą straszne przeżycia, ale zawsze stała przy mnie rodzina. Teraz zostałam pozbawiona tego oparcia i dopadły mnie emocje, z którymi nie potrafiłam sobie poradzić.

Cierpienie i upodlenie doznane w czasie niewoli sprawiły, że ludzie stali się nieczuli i brutalni. Pewna kobieta nie była w stanie zrozumieć mojego bólu, kazała mi przestać się mazgaić.

— Weź się w garść — powiedziała. — Pogódź się z tym, że twoja matka i brat nie żyją, i zacznij żyć od nowa. Płacz ci nie pomoże.

Wkrótce potem nasz obóz został przeniesiony. Na ciężarówkach brakowało miejsca. Byłam sama, nie mogłam liczyć na pomoc nikogo dorosłego. Z małym tobołkiem w ręku musiałam walczyć o miejsce. Byłam dzieckiem, dorosłe kobiety, silniejsze ode mnie, zrzuciły mój bagaż na ziemię. W końcu jednak zdołałam wsiąść. Przewieziono nas do innego obozu z namiotami.

W ciągu całego mojego życia zdarzały się cuda, tamten przyszedł w samą porę. Pewnego dnia usłyszałam, że ktoś wywołuje moje nazwisko. To była niewiarygodna chwila.

Jakiś mężczyzna stał u wejścia do namiotu.

— Jestem lekarzem — zaczął. — Kiedyś grywałem w brydża z twoją matką i ojcem. Widziałem twoją mamę, była ciężko chora na tyfus, i to dwa razy. Brat miał okropną czerwonkę, ale teraz oboje wracają do zdrowia.

Bardzo chciałam zobaczyć mamusię, ale samotne jasnowłose dziewczynki nie mogły się czuć bezpiecznie w Teheranie. Porywano je, gdyż było na nie ogromne zapotrzebowanie w miejscowych burdelach. Lekarz zapłacił obcej kobiecie, aby zaprowadziła mnie do mamy. Zakryłam włosy chustą i wsiadłyśmy do autobusu. Mama powiedziała, że gdyby nie tamten lekarz, nie przeżyłaby. Ale wyzdrowiała i wróciła do obozu. Od razu wzięła się do pracy.

— Pamiętam, jak zabrano nas do szpitala polowego — wspomina Janusz. — Miałem dziewięć lat i po raz pierwszy otarłem się o śmierć. Zapadłem w śpiączkę i uznano mnie za zmarłego. Zostałem wrzucony na wózek ciągnięty przez osły i przewieziony na pobliski cmentarz, gdzie miałem spocząć wraz z setkami innych zmarłych. Grabarz podniósł mnie i już miał wrzucić do grobu, gdy raptem otworzyłem oczy. Nie wiem, kto się bardziej przeraził, on czy ja, ale z całą pewnością było to najbrzydsze jednookie chłopisko, jakie widziałem. Zawdzięczam mu życie! Mężczyzna wymamrotał coś histerycznym głosem po persku lub arabsku, po czym wrzucił mnie z powrotem na wózek i odwiózł do szpitala. Mama szalała z niepokoju, bo nie miała pojęcia, co się ze mną dzieje.

Koło historii jednak się obracało, nadszedł czas, gdy mogliśmy opuścić Teheran. Uchodźców miano przewieźć do wielu różnych

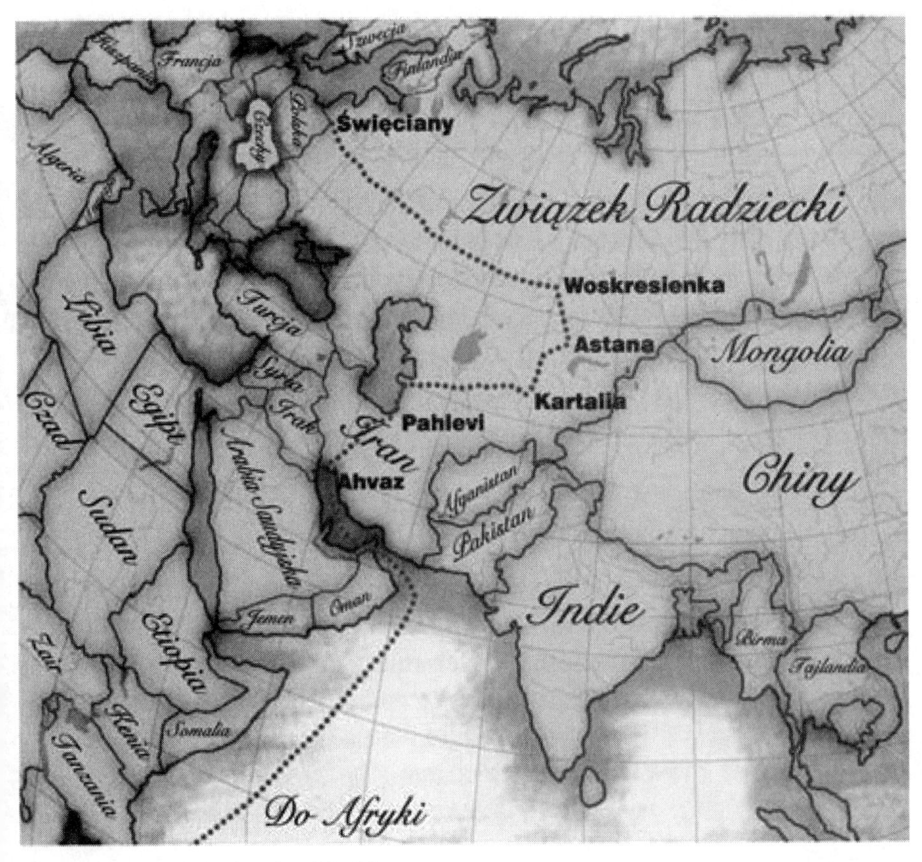

Nasza wędrówka do Afryki

krajów, koszty pokrywał rząd polski w Londynie. Brak żywności w Iranie doprowadził do zamieszek, rebelianci wdarli się do pałacu szacha; władze lękały się o bezpieczeństwo uchodźców w obozach. W nocy z obawy przed napaściami organizowaliśmy warty. Pewnego dnia ewakuowano nas i zaokrętowaliśmy się na statek płynący do Afryki. Jednostka miała przewozić polskie sieroty do Afryki Południowej, lecz na liście pasażerów znalazło się także wielu uchodźców. W czasie rejsu mama pracowała jako pielęgniarka. Dopisało nam szczęście, bo płynęliśmy pierwszą klasą i dzięki temu dobrze nas traktowano. Spaliśmy w luksusowych kabinach. Obsługa słała nam łóżka i przynosiła słodycze, a posiłki jadaliśmy w mesie pierwszej klasy razem z oficerami. Czuliśmy się trochę jak we śnie, wciąż się śmialiśmy, jedliśmy i zachowywaliśmy jak dzieci. Z uwagi na ospę, która pojawiła się na niższych pokładach, nie wolno nam było zbliżać się do innych pasażerów, to jednak nie psuło nam zabawy. Pewnego razu nadszedł straszny sztorm; Janusz, który nie cierpiał na chorobę morską, zszedł do mesy i najadł się do woli, bo tylko on trzymał się na nogach. Dopłynęliśmy do portu Beira w Mozambiku i tam musieliśmy zejść na ląd. Statek popłynął dalej, gdyż setki dzieci miały trafić do Domu Polskich Sierot pod Oudtshoorn na Przylądku Dobrej Nadziei. Rząd Republiki Południowej Afryki zgodził się je przyjąć, wiele polskich sierot wojennych osiedliło się i urządziło dobrze w Johannesburgu, Kapsztadzie, Durbanie oraz innych miastach i miasteczkach tego kraju.

Lusaka

Z Beiry do Lusaki dotarliśmy pociągiem. Po drodze oglądaliśmy krajobrazy całkowicie różne od wszystkiego, co dotąd znaliśmy. Nie mogliśmy wyjść ze zdumienia. Zobaczyłam wtedy pierwszego Afrykanina i przepiękny afrykański krajobraz, *bushveld*. Wszystko tonęło w blasku słońca.

Polski obóz w Lusace znajdował się za miastem i był ogromny. Brytyjczycy zbudowali obozy dla uchodźców w Kenii, Ugandzie, Tanganice*, Rodezji Północnej** i Południowej***. Do Lusaki trafiły setki ludzi. Mojej rodzinie przydzielono kwadratowy, jednoizbowy bungalow. Było nas czworo, gdyż mama adoptowała dziewczynkę o imieniu Lucia, która straciła rodziców. Na szczęście później jej matka się odnalazła.

Obozem dowodzili wspólnie komendanci brytyjski i polski. Mama dostała pracę jako sekretarka polskiego komendanta. Nie

---

* obecnie Tanzania

** od 1964 r. Zambia

*** w latach 1964—1980 Rodezja, obecnie Zimbabwe

Januszek i ja stoimy, mama siedzi z Lucią

miała formalnego przygotowania, lecz doświadczenie zdobyte w Teheranie świetnie je zastąpiło. Zarabiała około sześciu funtów miesięcznie, oprócz tego dostawaliśmy dziesięć szylingów zapomogi; pieniądze były dla nas bardzo ważne. Dzieci otrzymywały dwa szylingi i sześć pensów kieszonkowego. W tych czasach była to duża suma. Raz w miesiącu mogliśmy chodzić do kina w Lusace. Należało pokonać pieszo sześć mil i zapłacić sześć pensów, ale cóż to była za radość! W tygodniu chodziliśmy do polskiej szkoły w obozie.

Znów cierpieliśmy głód. Po smacznych posiłkach na statku czuliśmy się rozczarowani skromnym obozowym wiktem. Doznaliśmy szoku pierwszego ranka, kiedy poszliśmy po śniadanie do kantyny. Dano nam ciemny chleb z marmoladą. W Polsce nigdy nie jedliśmy gorzkiej marmolady, tylko słodki dżem. Na lunch dostawaliśmy papkę kukurydzianą, trochę gulaszu lub sosu, a czasem polskie pierogi z mięsem. Wtedy pierwszy raz pobiliśmy się z Januszkiem o jedzenie! Nie napawa mnie to dumą, tylko

Józef Milewski, który pomagał mi w matematyce, Lucia i ja

smuci desperacja, w jakiej się znajdowaliśmy mimo polepszenia warunków życia.

W obozie w Lusace czuliśmy się bezpiecznie i mieliśmy zapewnione posiłki, które wydawały się dziwne i niewystarczające. Czułam się wolna, wyzwolona od podejrzliwości sowieckiego okupanta. W naszym obozie było mnóstwo okazji do zabawy. Zawieraliśmy przyjaźnie z innymi dziećmi, graliśmy w siatkówkę, używając siatki zrobionej z kawałka sznura. Ktoś znalazł gdzieś stary gramofon i trzeszczące płyty, toteż wieczorami zbieraliśmy się na śpiewy i tańce. Nasze zabawy bardzo się różniły od prywatek dzisiejszych nastolatków, były szalenie proste. Nie znaliśmy narkotyków ani alkoholu. Nasze spotkania sprawiały nam mnóstwo uciechy. Wielką frajdę mieliśmy też ze spacerów poza teren obozu. Znaleźliśmy duży figowiec. Wspinaliśmy się na niego i w cieniu gałęzi godzinami omawialiśmy ważne dla nas sprawy. Wciąż koresponduję z kolegą, którego tam poznałam. Mieszka teraz we

Wykorzeniona rodzina: Janusz, mama i ja na tle chaty, w której mieszkaliśmy

Francji, jest emerytowanym inżynierem; w obozie pomagał mi w matematyce, z którą zawsze miałam trudności.

Nauczyciel w polskiej szkole wątpił, czy dam sobie radę w życiu, gdyż nie potrafiłam rozwiązać najprostszych zadań matematycznych. Nie lubiliśmy się. Do tej pory uważam, że główną przyczyną moich słabych wyników z matematyki była niechęć do wykładowcy. Pozostali nauczyciele próbowali mnie wspierać.

— Jest bardzo dobra z innych przedmiotów, nie może nie zdać tylko dlatego, że ma problemy z matematyką — mówili.

Jednakże matematyk odpowiadał:

— Nie poradzi sobie w życiu, więc po co promować ją do następnej klasy.

O dziwo, dzisiaj nie mam żadnych kłopotów z rachunkami — ani w pracy, ani przy grze w brydża.

Szkoła była przepełniona. Nie było gimnazjum, tylko podstawówka. Musieliśmy napisać egzamin wstępny, aby dostać się do placówki w Marandellas w Rodezji Południowej. Dyrektor szkoły w Livingstone przyjechał nadzorować egzamin. Dostrzegł moje zdolności i przedstawił mnie pani Rybickiej i doktorowi Rybickiemu, którzy przybyli do Livingstone z Cypru. Grupa cypryjska składała się z wykształconych Polaków, którzy uciekli z kraju przed wkroczeniem okupantów. Państwo Rybiccy, z którymi się później zaprzyjaźniłam, odegrali dużą rolę w moim życiu. Zaproponowali, żebym uczęszczała do szkoły w Livingstone, ale mama wolała, bym chodziła do żeńskiego liceum pod Marandellas. Była to szkoła z internatem, spędziłam tam dwa lata.

Gmach był piękny, stał między skałami. Dobrze wspominam ten okres mojego życia. Tęskniłam do mamy i brata, ale mieliśmy dobrych nauczycieli, nawiązałam przyjaźnie. W tym czasie otwarto szkołę średnią w polskim obozie w Lusace, więc wróciłam, by zrobić maturę. Później mama wysłała mnie do klasztoru pod Lusaką, gdzie miałam się nauczyć angielskiego. Jednakże było tam tyle polskich dziewcząt, że mało rozmawiałyśmy po angielsku. Czułyśmy się znacznie swobodniej, mówiąc w języku ojczystym.

Spędziliśmy w obozie w Lusace pięć lat, w tym czasie zawiązało się wiele trwałych przyjaźni.

Życie w obozie nie składało się z samych przyjemności. Panowała bieda. Wiele zdesperowanych kobiet parało się prostytucją, okrywając nas złą sławą. Pojawiły się choroby, które jeszcze bardziej odseparowały nas od mieszkańców dobrze prosperującej Lusaki. Czułyśmy się dziwnie, nie mając przyzwoitych ubrań ani możliwości dbania o swoją urodę.

Mama i ja

Informacja, że rząd brytyjski zamierza zamknąć wszystkie obozy uchodźców w Afryce, wprawiła nas w szok. Dano nam do wyboru wyjazd do Kanady, Australii albo powrót do Polski. Nie pociągały nas ani Kanada, ani Australia, w Polsce zaś panował komunizm, który budził przerażenie. Mama wolała zginąć, niż ponownie zetknąć się z reżimem komunistycznym. W zesłańczym losie doświadczyła wielu dobrodziejstw od wieśniaków i nie miała do nich żalu, lecz wspomnień okrutnych czynów, których dopuszczali się komuniści, nie można było wymazać. Odebrali jej męża. Mama była silną kobietą, lecz wszystko ma swoje granice.

Życie w Polsce było ciężkie. Niemcy zostali pokonani, lecz wolność okazała się pozorna, gdyż wszystko toczyło się pod dyktando sowieckie. Ojciec mógł powrócić na stanowisko sędziego. Wieczorami jednak pracował nielegalnie, doradzając polskiemu studiu filmowemu; potrzebował dodatkowych pieniędzy, by przeżyć. Niegdyś zamożne, kwitnące państwo zostało rzucone na kolana. Komuniści przejęli całkowicie władzę i sprawowali ją w imieniu Rosji sowieckiej. Mama uważała, że powrót do ojczyzny nie wchodzi w rachubę.

Musiałyśmy obmyślić, jak będziemy żyć po likwidacji obozu. Postanowiłyśmy zostać w Afryce, polubiłyśmy słońce. Państwo Rybiccy mieszkali w Livingstone, obiecali pomóc nam się urządzić.

Przedstawiciele rządu brytyjskiego ogłosili, że jeśli uchodźcy znajdą pracę, będą mogli pozostać w Afryce. Jednakże szanse na znalezienie zatrudnienia były znikome, głównie dlatego, że większość z nas nie miała okazji nauczyć się angielskiego. Pani Rybicka zasugerowała, że mogłabym zrobić kurs pielęgniarski w szpitalu albo zostać nianią w angielskim domu. Myśl o pracy jako pielęgniarka sprawiła, że przypomniałam sobie te wszystkie okropności, których doświadczyliśmy w pociągu wiozącym nas na miejsce zsyłki, a także to, co się działo w Teheranie. Uznałam, że lepiej będzie zostać nianią. Zaproponowano mi opiekę nad trzymiesięcznym niemowlęciem oraz dwojgiem małych dzieci. Do tamtej pory nigdy nie zmieniałam dziecku pieluszki, nie miałam też pojęcia o opiece nad niemowlętami i dziećmi, więc trochę mnie to przerażało. Mama także dostała pracę jako niania. Przyjęłyśmy propozycje i przeprowadziłyśmy się do Livingstone.

Livingstone

Opuściłam Lusakę jako pierwsza. Musiałam jechać pociągiem pełnym żołnierzy. W przedziale siedziała jedna starsza kobieta. Żołnierze próbowali ze mną rozmawiać, lecz nie znałam angielskiego. Moja towarzyszka umilała sobie podróż rozmową z mężczyznami, którzy się dosiedli, ale ja byłam strasznie onieśmielona, w dużej mierze dlatego, że nie mogłam się z nimi porozumieć. W Livingstone powitała mnie moja nowa rodzina, państwo Parkhurstowie, oraz nasi przyjaciele, państwo Rybiccy. Aż się wzdrygam na myśl o tym, co im mogło przyjść do głowy na widok tylu mężczyzn, którzy chcieli nieść moje bagaże.

Parkhurstowie pokazali mi swój dom, naprawdę piękny. Pracodawcy byli uroczy, lecz nieznajomość angielskiego bardzo mi przeszkadzała. Poza tym musiałam nauczyć się opiekować dziećmi i tęskniłam za bliskimi. Trudno mi było także pogodzić się z faktem, że jestem nianią. Jako dziecko sama miałam opiekunkę, Emilię, a teraz zostałam służącą. Nie znaczy to, że nie odczuwałam wdzięczności za możliwość mieszkania we wspaniałym domu, jednakże kiedy do państwa Parkhurstów przychodzili goście, moje miejsce było w kuchni. Nie mogłam się z tym pogodzić.

Mama też nie umiała się odnaleźć w roli niani. Miała dobrych pracodawców, gdy odeszła, wystawili jej najlepsze referencje.

Pracując u Parkhurstów, starałam się doszlifować mój angielski. Kupowałam gazety i wieczorami ślęczałam ze słownikiem, sprawdzając słowa, których nie znałam. Pracowałam tam mniej więcej przez rok. Wychodziłam na spacery z dzieckiem w wózku. Lolly, który przybył do Livingstone w 1947 roku, zauważył mnie, kiedy prowadziłam wózek. Może jego uwagę zwróciły moje jasne włosy. Pomyślał, że jestem matką dziecka, więc nie próbował się ze mną poznać.

Mimo dobrych warunków pracy rola niani mi nie odpowiadała. Czułam się poniżona. Słaba znajomość angielskiego odbierała mi pewność siebie. Straciłam poczucie własnej wartości. Do tego doszły gorzkie wspomnienia z lat spędzonych w obozie. Wszystko to sprawiło, że zaczęłam odczuwać chorobliwy apetyt. Budziłam się w środku nocy, przypominałam sobie o kisielu, który został po lunchu, i myślałam o tym, że takie marnotrawstwo jedzenia jest niedopuszczalne. Nie mogłam usnąć, a kiedy już zasypiałam, śniły mi się koszmary o kisielu na stole. Wstawałam, podkradałam się do kuchni i zjadałam wszystkie resztki. Zaczęłam nadmiernie przybierać na wadze, a dobroć pani Parkhurst wcale mi nie pomagała. Wiedząc, ile przecierpiałam, zachęcała, żebym jadła wszystko, na co mam ochotę.

Opieka nad dzieckiem nie sprawiała mi radości, ale sobie radziłam. Chciałam jednak robić coś innego. Leszek, syn doktora Rybickiego, pracował w drukarni „Livingstone Mail". Wiedział z góry, jakie ogłoszenia o pracy pojawią się w gazecie. Pewnego dnia zadzwonił i powiedział mi o ofercie pracy w restauracji i piekarni, których właścicielem był burmistrz miasta. Zasugerował, abym spróbowała własnych sił. Nie miałam żadnych kwalifikacji, ale bardzo chciałam dostać tę pracę.

Pojechałam rowerem na rozmowę wstępną. Pani Hewer, kierowniczka restauracji i żona burmistrza, była skłonna mnie zatrudnić, lecz mój angielski był słaby, a ona miała pięciu innych chętnych. Nie robiła mi nadziei na dostanie tej posady.

— Proszę, jestem bardzo pracowita! — błagałam. — Niech pani da mi szansę na to, bym mogła się wykazać!

W jakiś sposób udało mi się przekonać żonę burmistrza.

Zarobki na nowym stanowisku znacznie przewyższały pięć funtów, które dostawałam jako niania. Trzeba było opłacić naukę Janusza, toteż dodatkowe pieniądze bardzo nam się przydały. Czekając na potwierdzenie, że otrzymam pracę, pilnowałam domu państwa Parkhurstów, którzy wyjechali na urlop. Po ich powrocie oznajmiłam im, że dostałam ciekawą ofertę i bardzo się z tego cieszę. Żałowali, że odchodzę, ale życzyli mi sukcesów.

Musiałam poszukać sobie kwatery. Znalazłam małe mieszkanie, mama wprowadziła się do niego razem ze mną. Także dostała nową pracę — miała być kasjerką w kinie. Wspaniale było znów być razem i zarabiać pieniądze; czułyśmy, że wszystko zaczyna się dobrze układać.

W piekarni sprzedawaliśmy chleb i ciasto, a w restauracji podawaliśmy posiłki. Musiałam zaznajomić się z obco brzmiącymi nazwiskami, ponieważ ludzie kupowali na kredyt. Moim przekleństwem było afrykanerskie nazwisko Bezuidenhout, którego nie mogłam ani wymówić, ani przeliterować. Byłam jednak zdeterminowana, wieczorami ćwiczyłam nazwiska tak długo, aż je opanowałam. Po pół roku mojej pracy właścicielka wybrała mnie na swoją zastępczynię, wyjeżdżając na urlop. Byłam nowa i bardzo młoda, więc innym pracownikom to się nie spodobało. Ale moja uczciwość i pracowitość przyniosły owoce.

Pani Hewer osiągnęła wiek emerytalny i sprzedała interes. Nowi właściciele wyznaczyli kierownika, lecz większość pracy przy zarządzaniu i tak spadła na mnie. Poza zwykłymi obowiązkami w piekarni odpowiadałam również za księgi i zamówienia. Nowy kierownik za bardzo lubił przesiadywać wieczorami w barze Zambezi. Bar był otwierany o piątej rano i kierownik czuł palącą potrzebę uczczenia tej wczesnej pory otwarcia. Pieniądze na to czerpał z kasy restauracji, zostawiając w zamian karteczki z notatką: „Zapisz na moje konto". Ale jakoś nigdy nie spłacał należności. Nie przypadło to do gustu właścicielom i nowy kierownik nie zabawił długo na stanowisku. W dniu jego odejścia otrzymałam nagrodę za pracowitość: mianowano mnie kierowniczką!

To był początek nowego etapu mojego życia. Czułam, że odzyskuję pewność siebie i znów staję się pełnowartościowym człowiekiem. Byłam niezależna i dowiodłam swoich umiejętności. Przestałam być zesłańcem, uciekinierem i służącą. Pierwszy raz od dnia, w którym siłą zabrano mnie z domu w Święcianach, poczułam się wolna. I po raz pierwszy od wielu lat nie musiałam oglądać się za siebie.

Sposób, w jaki zmuszona byłam przeżyć młodość, uwrażliwił mnie na kwestię wolności. W czasie publicznych wystąpień zawsze podkreślam, jakie to szczęście dla obywateli RPA, że są wolni — że mają wolność słowa, wolność podróżowania i wolność działania. Większość Południowoafrykańczyków doświadczyła reżimu apartheidu, lecz współczesne pokolenie nie wie, co znaczy życie w systemie, w którym odmawia się jednostce prawa do wyrażania opinii — nawet wobec najbliższego przyjaciela. Takie życie to śmierć. W Afryce Południowej wolno mówić to, co się myśli; to demokratyczny kraj. Nigdy nie zdołam wyrazić, jaka jestem za to wdzięczna. Powtarzam ludziom, aby cieszyli się, że żyją w kraju, w którym nie muszą się bać rozmów o swoich ideałach, o tym, co im się podoba, a co nie. Wolno im wyrażać opinie nawet o członkach rządu.

W tamtych latach Polska budziła we mnie sprzeczne uczucia. Teraz wiele się zmieniło.

Mój lęk przed komunizmem wciąż jest bardzo realny. Pewnego razu w czasie wycieczki do Włoch poszliśmy z mężem na koncert do parku. Muzyka była wspaniała, ale widok powiewających czerwonych flag uświadomił mi, że znalazłam się na wiecu komunistycznym. Wybuchłam płaczem, uciekłam z parku, nie mogłam wydusić z siebie słowa i nie wiedziałam, dokąd idę. Po powrocie do hotelu wciąż płakałam. Okazało się, że zwichnęłam sobie nogę w kostce, ale będąc w szoku, nawet nie poczułam bólu. Zepsułam sobie wakacje, w czasie wycieczek po Anglii i innych częściach Europy kuśtykałam.

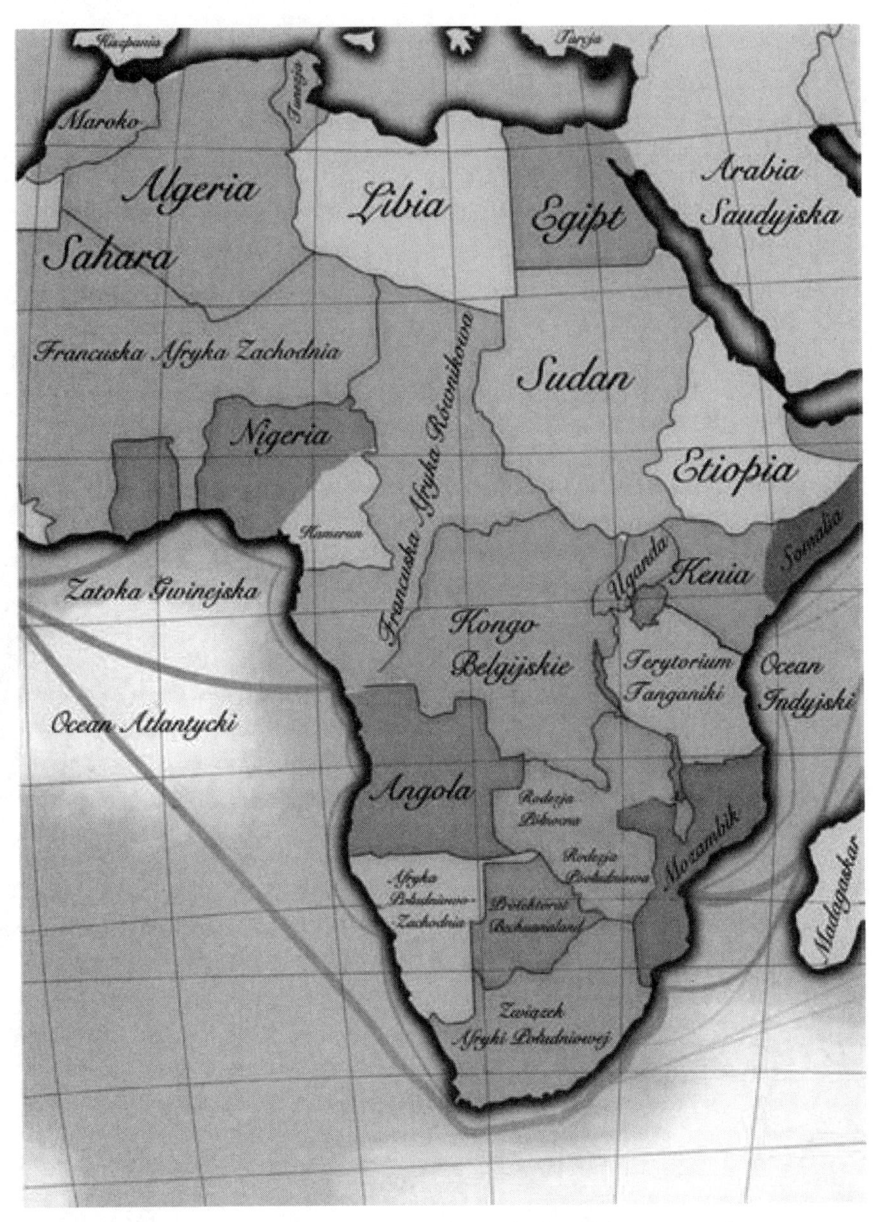

Afryka kolonialna w latach czterdziestych dwudziestego wieku

CZĘŚĆ 2

Nowe życie

1949–1963

Lolly

Mężczyzna imieniem Lolly wkroczył do mojego życia, kiedy pracowałam w piekarni w Livingstone. Od razu stał się dla mnie kimś ważnym. Przychodził do restauracyjki przy piekarni na wieczorny posiłek, zwykle w towarzystwie swojego przyjaciela Smithy'ego, z którym dzielili mieszkanie. Ich firma właśnie rozpoczynała działalność, a czasy były ciężkie. Często nie mieli pieniędzy, żeby zapłacić za jedzenie. Wyciągnięcie od nich należności nie zawsze było łatwe.

Nie znałam nikogo poza Leszkiem, który pomógł mi znaleźć pracę w piekarni. Utrzymywałam z nim przyjazne kontakty, a później także z jego żoną, jeszcze przez wiele lat. Leszek zmarł w wyniku zatrucia alkoholem. Byłam samotna, podświadomie szukałam partnera. I tak zaprzyjaźniłam się z Lollym.

Nie miał łatwego życia. Jego ojciec zajmował się kręceniem filmów przyrodniczych i często na długo zostawiał matkę w ich domu na farmie w Skeerpoort w Afryce Południowej. Matka walczyła o to, by związać koniec z końcem, często nie miała nawet na mundurki szkolne dla dzieci. Było ich pięcioro, czterech chłopców — Ian, Clyde, Lolly i Lesley — i dziewczynka Hope. Po powrocie do domu ojciec zwalniał wszystkich synów ze szkoły, żeby pomagali na farmie.

Lolly uczęszczał do szkoły w Skeerpoort. Nie miał nawet butów. Każdego dnia po lekcjach musiał ciężko pracować. To z pewnością było trudne dzieciństwo, lecz myślę, że wyrobiło w Lollym zdrowe i pełne szacunku podejście do pracy. Do Livingstone trafił przypadkowo. Był w drodze do Tanganiki, gdzie zamierzał znaleźć zatrudnienie u profesora, który rozpoczynał produkcję orzeszków ziemnych. Jednakże po dotarciu do Livingstone Lolly'emu zabrakło pieniędzy i nie mógł wyruszyć dalej. Jakiś czas temu zerwał zaręczyny z dziewczyną, był rozżalony i nie miał zamiaru nawiązywać nowej znajomości. Miałam wówczas dziewiętnaście lat i byłam absolutnie niewinna. Nie szukałam świadomie partnera. Potrzebowałam czasu, chciałam udowodnić sobie, że potrafię dobrze pracować i zarabiać — jednym słowem, stanąć na własnych nogach.

Pewnego dnia, gdy znaliśmy się już dobrze dzięki jego wizytom w restauracji, Lolly zaproponował, żebym wybrała się z nim i ze Smithym na polowanie na króliki. Nie przepadałam za polowaniami i strzelaniem, mimo że mój ojciec lubił ten sport, lecz ucieszyłam się; może chodziło o to, że miałam okazję spędzić trochę czasu w towarzystwie młodego przystojnego mężczyzny. I tak skromna, nieśmiała i sponiewierana przez wojnę dziewczyna przyjęła zaproszenie na wycieczkę, która zapowiadała się jak przygoda.

W czasie naszej pierwszej „randki" pojechaliśmy drogą prowadzącą z Livingstone do Katambora. Lolly i Smithy mieli strzelby; wybraliśmy się na króliki, ale strzelania nie było wiele. Wszędzie widzieliśmy mnóstwo zwierzyny, lecz nie pamiętam, żeby ktoś do niej celował. Świetnie się bawiliśmy, było mnóstwo śmiechu. Lolly okazał się uparty i raz po raz pytał:

— Może usiądziesz koło mnie z przodu?

Była z nim jednak jeszcze jedna dziewczyna, ładna, nieco pulchna, więc zapytałam:

— A nie wolisz, żeby Betty usiadła z tobą?

Zignorował to pytanie, odparł natomiast, że tylko w ten sposób może mnie nauczyć prowadzić samochód.

— Powinnaś siedzieć z przodu, żeby widzieć, jak prowadzę. Później będziesz mogła sama spróbować. Nie nauczysz się, siedząc z tyłu.

Jednakże zostałam na tylnym siedzeniu, gdyż uważałam, że to miejsce jest dla mnie najodpowiedniejsze. Po powrocie do miasta to Smithy, a nie Lolly, pocałował mnie na do widzenia.

W owym czasie mężczyźni niewiele mnie interesowali, ale podejrzewałam, że podobam się Lolly'emu. Pewnego dnia zaprosił mnie na bal do hotelu. Na tę samą zabawę zaprosił mnie wcześniej Leszek, więc Lolly zapytał, czy przynajmniej z nim zatańczę. Tańczyliśmy tango. Lolly był chłopakiem z buszu, o czym boleśnie przekonały się moje palce u nóg! Umiałam tańczyć, nauczyłam się tego na zabawach przy starym gramofonie, który znaleźliśmy w obozie w Lusace. Lubiłam ten rodzaj rozrywki, lecz pląsy z Lollym stanowiły prawdziwą udrękę. Leszek wylądował w pubie (chyba zawsze miał problem z piciem) i zostawił mnie w towarzystwie Lolly'ego. Był to początek bardzo długiego związku!

Lolly przyjechał do Livingstone samochodem i żeby zarobić trochę pieniędzy, zaczął prowadzić działalność taksówkarską. Kiedy się poznaliśmy, jego interes kwitł. Chciał rozwinąć firmę

Kawalkada pojazdów reklamujących naszą firmę na festynie w Livingstone

i w tym celu wybierał się do Afryki Południowej po drugi samochód; nie miał jednak nikogo, kto pod jego nieobecność zająłby się nadzorem kierowcy w Livingstone. Poprosił, abym zgodziła się chodzić wieczorem do jego biura. Miałam sprawdzać, czy wszystko jest w porządku. Przystałam na to. Niestety, kierowca się upił i rozbił samochód. Była to katastrofa, lecz nie koniec działalności firmy.

Lolly ciężko pracował, żeby rozkręcić interes. Dzielił biuro z firmą zajmującą się czarterowaniem lotów nad Wodospadami Wiktorii. Kierowniczką była urocza pani, która prowadziła księgowość firmy swojego pracodawcy, a przy okazji starała się zajmować księgowością firmy Lolly'ego. Nie sprawdzało się to i Lolly zaproponował, żebym zaczęła u niego pracować. Moim zdaniem nie byłaby to dla mnie korzystna zmiana. W piekarni-restauracji zarabiałam pięćdziesiąt funtów rodezyjskich, mogłam tam jeść posiłki, co bardzo mi wówczas odpowiadało. Cieszyłam się szacunkiem; miałam naprawdę dobrą posadę. Sądziłam więc, że jeśli Lolly chce, żebym u niego pracowała, powinien zaproponować podobne warunki.

W tym czasie Lolly mieszkał w hotelu Windsor należącym do pani Jordaan. Wpadł na błyskotliwy pomysł, że jeśli kupi hotel, będzie mógł dać mi pracę i posiłki. Chociaż nie miał pieniędzy, zapytał panią Jordaan, czy zechciałaby mu sprzedać interes. Sprawdziwszy, kim jest oferent, właścicielka zdziwiła się, jak to możliwe, że stać go na kupno hotelu, skoro nawet nie płaci za pokój. Jej zatroskanie było jak najbardziej na miejscu, ale nie znała Lolly'ego!

On zaś udał się do pewnego miłego młodego Żyda, pana Szapiro, żeby pożyczyć pieniądze na pierwszą część zastawu za hotel. Pan Szapiro się zgodził pod warunkiem, że ktoś wyłoży na drugą część.

Otrzymawszy pieniądze, Lolly wpłacił żądaną kwotę i sprowadził matkę do prowadzenia hotelu, ponieważ znała się na cateringu. Kiedyś wydzierżawiła kawałek ziemi koło Wodospadów Wiktorii po stronie rzeki należącej do Rodezji Północnej i rozbiła tam namioty, które wynajmowała w sezonie wakacyjnym. Przygotowywała także posiłki dla turystów. Za sprawą mamy Lolly'ego w hotelu zrobiło się przytulnie, a ponieważ jedzenie smakowało gościom, toteż panował tam spory ruch. Hotel znajdował się nieopodal dworca kolejowego, więc wielu pracowników kolei wynajmowało w nim pokoje i stołowało się tam. Mama Lolly'ego nie należała do specjalistów w dziedzinie zarządzania, ale była bardzo pracowitą kobietą. Do tego czasu nie miała łatwego życia, gdyż mąż wiecznie ją zaniedbywał. Jeździł ze swoimi filmami po

Lolly i ja nad rzeką Zambezi

całym świecie, pokazywał je w Australii i Ameryce, świetnie się przy tym bawiąc w towarzystwie licznych pań. Kiedyś wpadł na pomysł, że urządzi paradę na plaży w Durbanie i wybierze pięć najpiękniejszych kobiet do filmu, który zamierzał nakręcić w czasie safari. On i jego syn Clyde mieli wspaniałą zabawę, wybierając pięć zgrabnych dam spośród dwustu pięćdziesięciu, które się zgłosiły. Film nigdy nie powstał, ale w Mozambiku odbyło się safari z udziałem pięciu pięknych młodych panien. Grupa nie miała kłopotu na posterunkach granicznych — kto by się oparł tylu pięknościom? Clyde ożenił się później z jedną z nich. Ojciec Lolly'ego zarobił na filmach trochę pieniędzy i nieźle mu się żyło. Podróżował po świecie i jeździł na tak zwane safari z pięknymi kobietami, a jego biedna, zaniedbana żona musiała się zajmować dziećmi i domem.

Po kilku latach hotel wpadł w kłopoty finansowe. Lolly poprosił mnie, abym pomogła mu znaleźć rozwiązanie problemu, mimo że nie miałam doświadczenia w zarządzaniu tego rodzaju placówką.

Musiałam zacząć od powstrzymania matki Lolly'ego przed wydawaniem pieniędzy i od zamknięcia rachunków. Nie było to łatwe, należało wprowadzić system płacenia za wszystko gotówką. Lolly miał mnóstwo długów, ich spłacenie okazało się bardzo trudne. Trzeba było sprzedać hotel.

Moja mama wciąż pracowała w kinie i wszyscy ją znali. Cieszyła się powszechną sympatią, zwracano się do niej Pani K. Była uroczą kobietą o wielkim sercu. Największą przyjemność sprawiało jej kupowanie słodyczy dla dzieci, na co często nie było jej stać.

Rozpoczęliśmy z Lollym działalność w branży turystycznej. Dwa samochody służyły jako taksówki, Lolly koniecznie chciał kupić łódź motorową, by pływać po Zambezi. Nie miał pieniędzy, więc pożyczył trzysta funtów od swojego przybranego wuja Ernesta Glovera. Ernest pomógł Lolly'emu stanąć na nogi. Za pożyczone od niego pieniądze Lolly mógł nabyć łódź. Nadał firmie nazwę „Greenway Launch and Taxi Services". W owym czasie nie łączył nas żaden romantyczny związek.

Pierwszymi klientkami Lolly'ego były panie z pewnej chrześcijańskiej organizacji, które przyjechały zobaczyć Wodospady Wiktorii. Lolly zdobył pozwolenie na lądowanie na Palm Island, mógł więc podać turystkom herbatę po rejsie wokół wyspy. Wycieczka okazała się wielkim sukcesem.

Firma stopniowo się rozwijała. Organizowaliśmy rejsy po Zambezi. Mieliśmy także dwie taksówki. Woziliśmy turystów do Wodospadów Wiktorii.

Lolly doszedł do wniosku, że dobrze byłoby połączyć interesy z przyjemnością, i tak zaczął się nasz romans. Pomimo to nie od razu uległam zapewnieniom, w końcu jednak jego szczerość zwyciężyła i zaręczyliśmy się.

Spotkanie z dziką Afryką

Życie toczyło się wspaniale, pełne przyjemnych wrażeń. Mniej więcej w tym czasie zostałam zaproszona na swoje pierwsze safari. Ojciec Lolly'ego zabierał czwórkę Amerykanów na polowanie, a Lolly zaprosił swoją siostrę i mnie. Jego matka miała się zajmować kuchnią. Wybraliśmy się do doliny Luangwa. To było wspaniałe przeżycie. Nieśmiała i niedoświadczona dziewczyna — znalazłam się nagle w wielkim, cudownym świecie! Jechaliśmy w kolumnie sześciu pojazdów. Siedziałam z Lollym, jego ojciec wiózł klientów, a Hope, siostra Lolly'ego, jechała w następnym samochodzie. Wujek Ernest prowadził ciężarówkę, w której znajdowały się zapasy. Niestety, ciężarówka uległa awarii i musieliśmy zatrzymać się w hotelu w Fort Jameson. Lolly zdobył tam części zamienne, a potem pojechaliśmy ratować wujka Ernesta, który tkwił gdzieś w górach.

Praca przy naprawie ciężarówki w bezlitosnym upale była bardzo mozolna. Kiedy nareszcie Lolly'emu i Ernestowi udało się ją zreperować, poczuli się bardzo spragnieni. Mieli ze sobą napój alkoholowy z brzoskwiń i brandy zwany *mampoer*, który zrobił swoje. Nic dziwnego, że w drodze powrotnej Lolly'ego zaczął morzyć sen. Uznaliśmy, że będzie bezpieczniej, jeśli ja poprowadzę, mimo że nigdy przedtem nie siedziałam za kierownicą.

— Musisz być przytomny i podpowiadać mi, co mam robić — rzekłam do niego, przerażona myślą o kierowaniu pojazdem.

Zapadła noc, zdołałam wrzucić trzeci bieg, kiedy Lolly zasnął. Nie dało się już go dobudzić! Nie umiałam zmieniać biegów, ale droga była prosta, więc jechałam przed siebie. Samochód zaczął się straszliwie trząść, kiedy wjeżdżaliśmy na wzgórze, ale jakoś się wspięliśmy. Zobaczyłam światła Fort Jameson i zrozumiałam, że nie dam rady wjechać na zabudowany teren. Lolly spał mocno, dobudzenie go nie było łatwym zadaniem. Na szczęście mi się udało, Lolly usiadł za kierownicą i około drugiej w nocy dotarliśmy do miasta.

Nazajutrz rano Lolly opowiedział wszystko Amerykanom, którzy nagrodzili mnie oklaskami. Byłam bardzo dumna, pierwszy raz w życiu prowadziłam samochód. To było jedno z moich pierwszych doświadczeń w buszu.

Jechaliśmy do pięknego Parku Narodowego Luangwa. Afryka była wówczas rajem: wspaniałe, nieskażone ludzką działalnością rozległe tereny roiły się od dzikiej zwierzyny. Przeżycie jak piękny sen. Czułam się zaszczycona, mogąc tam być. Rozbiliśmy namioty na brzegu rzeki. W parku żyły najniezwyklejsze zwierzęta, zewsząd dochodziły ich odgłosy. Słyszeliśmy trąbienie słoni i ryk lwów.

Hope i ja zamieszkałyśmy w *rondawel*, okrągłej chacie krytej strzechą, często spotykanej na południu Afryki. Ściany nie sięgały do dachu, między ich wierzchołkiem a strzechą było sporo miejsca.

Chata nie miała drzwi, więc naprawdę się bałyśmy. Nie mogłyśmy zasnąć, wciąż myślałyśmy o tym, że słonie mogą wtargnąć nocą do obozu i stratować naszą siedzibę. Dziwiło mnie, że Hope się boi, myślałam, że często bywała na safari i była oswojona z buszem! W nocy kilka razy wpadałyśmy do namiotów klientów, budząc ich okrzykami: „Słonie są w obozie!". Albo: „Lwy są tuż-tuż!". Goście jednak wcale się nie bali; odpędzali nas i prosili, żebyśmy dały im się wyspać.

To, co przeżyłam w dolinie Luangwa, odsłoniło przede mną czar dzikiej Afryki. Było to niezapomniane doświadczenie. Pewnego razu w czasie polowania jeden z myśliwych postrzelił lwa, który zdołał uciec. Prawo myśliwskie nakazuje, by nie zostawiać zranionego zwierzęcia na pastwę losu; trzeba je wytropić i dobić. Zaproszono mnie na tę wyprawę. Musieliśmy wysiąść z samochodów ze względu na trudny teren i pokonać wiele mil pieszo; na stopach zrobiły mi się pęcherze. Bardzo się bałam, nawet słysząc szelest liści, kryłam się w najbliższych krzakach. Nigdy przedtem nie widziałam dzikich zwierząt. W pewnej chwili zobaczyłam coś, co wyglądało jak wielki konar leżący na ziemi. Jednak konar nagle się poruszył, a mnie ogarnął strach. Nie była to gałąź, tylko pyton. Został poparzony w czasie pożaru buszu, ale jeszcze żył. Ku mojemu przerażeniu ojciec Lolly'ego postanowił zabrać węża ze sobą. Poszliśmy dalej, a on niósł wielkiego gada.

Jeden z bystrookich przewodników dostrzegł trop rannego lwa. Rozpoczął się pościg. Z powodu pęcherzy na stopach nie mogłam w nim uczestniczyć, więc zostałam w buszu, w wyschniętym korycie rzeki, w towarzystwie przewodnika. Zauważywszy, że nie zostawiono nam broni, mężczyzna pomknął za resztą grupy, zostawiając mnie samą. Rozpłakałam się i szlochałam jak jeszcze nigdy w życiu. Nie wiedziałam, co robić, wyobrażałam sobie niebezpieczeństwa, jakie na mnie czyhają. Byłam sparaliżowana strachem. Po raz pierwszy znalazłam się w buszu, zdawało mi się, że Afryka jest okrutna i wszyscy są bez serca. Zaczynało się ściemniać, nikt nie nadchodził. Ze strachu nie mogłam się ruszyć.

Myśliwi znaleźli rannego lwa i zastrzelili. Nie dało się dojechać do tego miejsca samochodem, zatem musieli go nieść. Przypomnieli sobie o mnie; zastali mnie siedzącą na dnie koryta rzeki i zalaną łzami. Mimo pęcherzy na stopach musiałam wracać pieszo do samochodu. Czułam jednak wielką ulgę, bo byłam teraz bezpieczna.

Ojciec Lolly'ego kupił worek w wiosce i umieścił w nim węża. Lwa złożono na platformie ciężarówki, ale pyton musiał jechać z nami w kabinie. Lolly prowadził, a ja siedziałam obok niego. Przez cały czas nie opuszczała mnie jedna myśl: Boże, oby tylko pyton nie wydostał się z worka.

Teraz mam już doświadczenie i inaczej bym reagowała. Wybierając się na safari, nie wiedziałam nic o buszu. Targały mną rozmaite emocje: strach, niepewność, pragnienie, by jak najwięcej zobaczyć; usiłowałam być dzielna i niezbyt dobrze mi to wychodziło. Hope, siostra Lolly'ego, nie pomagała mi, bo była nie mniej przerażona ode mnie. Na widok zbliżającego się pytona pomyślałam, że nadchodzi śmierć. Takie było moje pierwsze spotkanie z afrykańskim buszem.

Pyton rzeczywiście wydostał się z worka, i to w czasie naszej jazdy! Na szczęście o tym wówczas nie wiedziałam.

Po powrocie do obozu nie myślałam o lwie. „Pyfon, pyfon!" mamrotałam do Amerykanów. Język mi się plątał, nie mogłam wypowiedzieć poprawnie tego słowa. Oni zaś nie wiedzieli, o czym mówię, i popędzili zobaczyć, co to takiego ten „pyfon”. Wąż tymczasem zdążył częściowo się uwolnić, jego łeb utkwił między hamulcem a sprzęgłem. Lolly wiedział, co się stało, ale nic nie mówił, bo zdawał sobie sprawę, jak się przestraszę. Zrobiło mi się zimno, gdy usłyszałam, że pyton omal nie wypełzł z worka, kiedy jechaliśmy. Podczas naszego pobytu w Luangwa trzymano gada w przyczepie i wypuszczano codziennie na świeże powietrze. Był poparzony, więc nie mógł poruszać się szybko. Gdy któregoś razu zdołał przedostać się przez rzekę, złapano go ponownie. W obozie żartowano sobie ze mnie, wołano na mnie „pyfon”, bo wciąż się dopytywałam, gdzie jest „pyfon”. Oprócz węża w obozie było także lwiątko. Dotknęłam go, a później, ośmieliwszy się nieco, nawet je pogłaskałam. Jego matkę zastrzelono, lwiątko zostało sierotą i trzeba było się nim opiekować. W czasie safari często się bałam, ale było to wspaniałe doświadczenie — zobaczyłam świat dzikich zwierząt i przepiękny afrykański busz.

Rezerwat Luangwa naprawdę był cudownym miejscem. Można się było poczuć jak w raju, patrząc na zachody słońca o niewyobrażalnych kolorach. Kiedy chowało się za horyzontem, niebo przybierało jaskrawoczerwoną barwę zaprawioną odcieniem pomarańczowym i żółcią. Wszystko to odbijało się w rzece, woda mieniła się złocistymi refleksami. Właśnie uroda krajobrazu zachwyciła mnie najbardziej. Zachody słońca wzbudziły we mnie poczucie, że Afryka jest zaczarowanym kontynentem. Zwierzęta również były zdumiewające. Widziałam chyba wszystkie gatunki, które można zobaczyć w afrykańskim buszu. W polskim obozie w Lusace byliśmy właściwie odcięci od natury, czasem widywaliśmy węże, ale nigdy antylop ani innych pięknych stworzeń. Bałam się lwów, uważałam je za bestie.

Po przeżyciach w buszu nie wypuszczałam się na następne wyprawy. Próbowałyśmy z Hope spać za dnia, żeby w nocy trzymać wartę. Paranoiczny lęk przed tym, że dzikie zwierzęta wtargną na teren obozowiska, nie pozwalał nam nocą zmrużyć oka. Siedziałyśmy na polowych legowiskach w naszym *rondawel*, z kolanami pod brodą, rozglądając z trwogą wokoło. Tak spędziłyśmy całe dwa tygodnie safari. W obozie były pyton i lwiątko, w nocy podchodziły lwy; słyszałyśmy trąbienie słoni i inne odgłosy buszu. Wszystko to było dla mnie nowe i dziwne, wzdrygałam się nawet na wycie szakala. Zwierzęta, których dotąd w ogóle nie znałam, nagle znalazły się bardzo blisko. Wąż stanowił pewien kłopot, lecz jeśli miałam związać się z Lollym, musiałam przywyknąć do takich sytuacji. Bałam się nieznanego i nie chciałam wypuszczać się poza teren obozu, ale uroda Afryki mnie oczarowała. Mimo to nie byłam pewna, czy jeszcze kiedykolwiek zechcę znaleźć się w buszu.

Po przygodach w dolinie Luangwa nasza grupa wyruszyła nad jezioro Niasa w Niasaland. Byłam już wtedy szaleńczo zakochana w Afryce, czułam, że nigdy nie zechcę opuścić tego kontynentu. Afryka w niczym nie przypominała miejsc, które pamiętałam z dzieciństwa.

Ojciec Lolly'ego zorganizował safari dla Amerykanów, którzy zapłacili mu za polowanie i chcieli zdobyć trofea myśliwskie. Może powinnam przy tej okazji wyjaśnić, jakie uczucia budzi we mnie zabijanie zwierząt. W tamtych czasach strzelanie do królików i polowanie w ogóle nie przywodziły na myśl ekologii, tak jak obecnie. Myśliwych darzono podziwem, nie istniały ruchy ochrony przyrody. Chłopiec, który w młodym wieku zastrzelił lamparta, traktowany był jak bohater. Dlatego safari uważano za coś wspaniałego. Nie podobało mi się zabijanie — i w dalszym ciągu nie podoba — lecz myśliwych otaczał nimb odwagi i przygody. Dziś przywiązuje się wagę do ochrony fauny i flory. Zawsze staram się mieć na uwadze to, co jest dobre i słuszne, lecz moja myśl często wraca do początku świata, gdy Bóg powiedział: „Stworzyłem zwierzęta po to, żebyście się nimi opiekowali i z nich żyli".

Wszystko ma swoją przyczynę i swoje miejsce. Obecnie ludzie zajmują się ochroną przyrody i zapominają, że czasem trzeba ograniczać liczebność stad. Rzeczywistość w Afryce jest taka, że zwierzęta współzawodniczą o przestrzeń i przetrwanie. Dzika przyroda ostatecznie przegra, jeżeli ludzie nie nauczą się z nią współegzystować. Jeśli tego nie uczynią, afrykańska przyroda zniknie.

Zaręczyny

W Livingstone mieszkałyśmy z mamą w małym domku. Lolly'emu, który mieszkał sam, nie chciało się szykować dla siebie posiłków, więc zapytał moją mamę, czy może stołować się u nas. Zgodziłyśmy się, ale kiedy powiedział, że jada tylko kurczaki i ryby, tupnęłam nogą i oznajmiłam, że albo będzie jadł to, co my, albo czeka go głodówka. Mięso było wówczas tanie. Kilogram kosztował szylinga i sześć pensów. Kurczak i ryby były droższe. Nie miałyśmy wiele pieniędzy, dopiero organizowałyśmy swoje życie i nie zamierzałyśmy finansować kosztownych grymasów Lolly'ego.

Livingstone było wówczas czymś w rodzaju miasta kolonialnego. W gospodarce panował powojenny boom, łatwo było rozpocząć działalność gospodarczą i zarobić pieniądze. Wystarczyło poznać koniunkturę rynkową i ciężko pracować, by osiągnąć cel. Okazało się, że znaleźliśmy się we właściwym miejscu we właściwym czasie; wystarczyła odrobina woli, by wyjść na swoje. Byliśmy pracowici, więc firma zaczęła się rozwijać.

Ja nad Wodospadami Wiktorii

Pewnego wieczoru Lolly wręczył mi zaręczynowy pierścionek, a ja zgodziłam się go przyjąć. Zaręczyny nie zakłóciły rytmu naszej pracy. Kupiliśmy więcej samochodów, turystyka zaczęła przynosić dochody. Nie było motorówek pływających po rzece Zambezi; po stronie Rodezji Południowej pływała tylko jedna, należąca do hotelu Victoria Falls. Dostrzegliśmy okazję, zaczęliśmy ściągać agentów turystycznych i organizować rejsy po północnej stronie wodospadów.

Mieliśmy mnóstwo przyjaciół i prowadziliśmy wspaniałe życie towarzyskie. Jeździliśmy na wycieczki po Zambezi, robiliśmy bardzo dużo zdjęć. Życie było po to, by się nim cieszyć; wspominając te czasy, wciąż uważam, że mi się poszczęściło.

Nie myśleliśmy o ubóstwie, choć jestem pewna, że istniało. Służących nie brakowało, życie było łatwe. Wszyscy okazywali sobie życzliwość, odbywały się wspaniałe pikniki.

Mimo że byłam zaręczona — a może właśnie dlatego — potrzebowałam odrobiny swobody. Chciałam też zobaczyć więcej Afryki. Moja przyjaciółka ze szkoły, Zosia, mieszkała w Abercorn w północnej części Rodezji Północnej, nieopodal jeziora Tanganika. Pojechałam do niej i spędziłam tam tydzień. Jej mąż Roy pracował w policji. Zosia była dobrą przyjaciółką, wciąż utrzymujemy ze sobą kontakt. Po pobycie u niej wybrałam się na pięciodniowy rejs parostatkiem po jeziorze Tanganika. Podróżowało nim wielu młodych ludzi, to była jedna wielka zabawa. Pływaliśmy małymi łódkami, nurkowaliśmy, każdego wieczoru odbywała się potańcówka. Łatwo zawierałam przyjaźnie — moje piękne długie włosy i nietypowy akcent robiły furorę. Po zejściu ze statku pojechałam pociągiem do Kigomy i Dar es-Salaam. Zamieszkałam tam w hotelu i wypożyczyłam łódkę, żeby zwiedzić zatokę. Po raz pierwszy od lat czułam się niezależna.

Z Dar es-Salaam wybrałam się do Zanzibaru. W samolocie poznałam dziennikarza BBC i dwóch brytyjskich nauczycieli. Dziennikarz powiedział, że będzie robił program o Zanzibarze oraz że przygotowano dla niego samochód na lotnisku. Zaprosił mnie na przejażdżkę po mieście, a także lunch z arabską rodziną, z którą był umówiony na zwiedzanie wyspy. Nauczyciele też się przyłączyli, to było wspaniałe doświadczenie. Po kilku dniach zaczęło mi brakować pieniędzy. Wysłałam Lolly'emu wiadomość z Dar es-Salaam z prośbą, żeby przysłał mi pieniądze na poczet pensji, gdyż chciałam wrócić do domu najnowszym samolotem. Do Durbanu popłynęłam statkiem; podróż była cudowna, poznałam wielu ciekawych ludzi. W Durbanie czekał na mnie Lolly. Miał dość moich podróży. Zamiast wysyłać mi pieniądze, przyjechał do Durbanu i czekał na mnie w porcie!

— Koniec tego dobrego! — oznajmił. — Wracasz ze mną do domu.

Tak się też stało. Podróżowanie na własną rękę uświadomiło mi, ile straciłam jako nastolatka. Teraz jednak świat się przede mną otwierał, poznałam radość, którą dają swoboda i przyjaźnie; miałam wrażenie, że moje życie dopiero się zaczyna. Chciałam bawić się z przyjaciółmi i spełniać w pracy zawodowej. Sprawiało mi przyjemność nawet poznawanie policjantów przychodzących do biura na kawę, zafascynowali mnie Buszmeni. Czułam się wspaniale i być może dlatego nie chciałam, żeby ten etap mojego życia się kończył. To prawdopodobnie dlatego nasze narzeczeństwo trwało tak długo. Odkładałam ślub, tłumaczyłam, że najpierw musimy mieć dom, ale wydaje mi się, że po prostu nie byłam gotowa na to, by się ustatkować. Mówiąc o domu, podświadomie używałam podstępu, żeby jeszcze trochę radować się wolnością. Miewaliśmy z Lollym lepsze i gorsze czasy, poznawałam innych mężczyzn — na przykład pewnego uroczego Francuza — i poważnie myślałam o tym, że nie powinnam się zaręczać i myśleć o małżeństwie. Wciąż nosiłam w sobie brak poczucia bezpieczeństwa pochodzący z okresu, gdy musiałam walczyć o przetrwanie. Lolly uwielbiał mnie, bo miałam piękne, długie jasne warkocze. Myślę, że na tym polegał problem; nie wiedziałam, czy pragnie prawdziwej mnie, czy też oczarowały go moje długie blond włosy.

Mój brat Janusz także mieszkał z nami w Livingstone i właśnie tam poznał siłę pokus. Zauważył na przykład, że przywiezione do sklepów towary stoją na chodniku przez całe dnie. W tamtych czasach przestępstwa należały do rzadkości. Jednakże Janusz dostrzegł zesłaną z nieba okazję zdobycia rzeczy, których zapragnął. Jego szczególne pożądanie wzbudziło radio stojące przed jednym ze sklepów, więc pewnej nocy przywłaszczył je sobie i uszło mu to na sucho. W ten sam sposób „pożyczył" broń. Właściciel zauważył zniknięcie i zgłosił ten fakt policji. Kiedy policjanci zaczęli się interesować Januszem i zaginioną bronią, mój brat ukrył ją w pokoju dla służby. Tym razem szczęście mu nie dopisało. Powiązano go ze zniknięciem broni i został aresztowany. Mama wyjechała wówczas na urlop. Potrzebowała odpoczynku. Nie chciałam, żeby się martwiła, więc nie powiedziałam jej o sprawkach Janusza. Wpłaciłam za niego kaucję i mimo że miałam dopiero osiemnaście lat, zeznawałam w sądzie w jego obronie. Przyznałam, że mój brat jest winny, ale poprosiłam, żeby sędzia wziął pod uwagę jego przeszłość. Wskazałam, że jest synem sędziego i wychował się w wyjątkowo dobrej rodzinie, w której miał wszystko, co najlepsze. Później, na zesłaniu, nauczył się, że tylko kradzież pomaga przeżyć. Musiał kraść, od dzieciństwa walczył o przetrwanie. Powiedziałam sędziemu prawdę. Wyjaśniłam, że Janusz przyznał się do kradzieży, ale nie zdawał sobie sprawy z tego, że postąpił źle. Sędzia wymierzył mu karę chłosty.

Janusz pamięta młodą dziewczynę imieniem Stefa, która mieszkała u nas, gdyż nie mogła znaleźć innej kwatery. Ukradł pistolet jej chłopakowi. Też ją zapamiętałam, bo to ona nauczyła Lolly'ego polskich przekleństw!

Dana Andrews pogrążony we śnie na dnie łodzi mokoro

Mój brat zawsze miał słabość do zwierząt i łatwo nawiązywał z nimi kontakt. Pewnego razu kupił lamparta od Afrykanina mieszkającego nad rzeką Zambezi. Zwierzę miało niecałe dwa miesiące, kiedy Janusz przyniósł je do domu. Mój brat pożyczał samochód od Lolly'ego i brał swojego pupila na przejażdżkę. Lampart zachowywał się jak pies. Opierał się łapami o okno samochodu, żeby czuć powiew wiatru na uszach. Janusz woził go nad Wodospady Wiktorii, gdzie żyło mnóstwo perliczek, które wielki kot lubił gonić. Nigdy żadnej nie złapał. Piękny zwierz zwracał także uwagę dziewcząt, co dla mojego brata było bardzo ważne!

Lolly także miał lamparta. Było to wówczas, kiedy mieszkał wraz z kolegą w budynku należącym do poczty. Dom miał dużą werandę otoczoną moskitierą, lampart mógł tam bezpiecznie przebywać. Pewnego dnia wymknął się z zamknięcia; Lolly'ego nie było w domu. Dwie urocze starsze panie siedziały w ogrodzie i popijały herbatkę. Zwierzę postanowiło złożyć im wizytę. Jego nagłe pojawienie się wzbudziło spory popłoch! Runęły stoliki, filiżanki, spodki i ciastka znalazły się na trawie. Panie pomyślały bowiem, że dzika bestia chce je pożreć. Wystraszone znalazły schronienie w domu. Po tym wydarzeniu Lolly musiał przenieść lamparta do naszego domu. Trzeba było go trzymać na uwięzi w ogrodzie, bo tuż obok przebiegała ruchliwa ulica, a nie mieliśmy dla niego innego miejsca. Policjanci dowiedzieli się, że lampart napędził strachu dwu starszym paniom, i przyszli do nas, żeby go zabrać. Lampart leżał w ukryciu w koronie drzewa nad ścieżką w ogrodzie. Dla zabawy skoczył na jednego z policjantów, którzy właśnie tamtędy przechodzili. Funkcjonariusze oznajmili nam, że nie możemy go tu trzymać, więc wywieźliśmy go na farmę. Mógł tam przebywać bez obaw. Niestety, zabił cielaka i farmer z rozpaczy go zastrzelił.

Mniej więcej w tym samym czasie Janusz kupił sobie małpkę — *baboon**. Wspomina ją z czułością: „Ilekroć jakaś kobieta znalazła się w pobliżu, zaczynała się sobą zabawiać. A co najciekawsze, używała do tego nogi. To było nadzwyczajne widowisko. Człowiek nigdy by czegoś takiego nie dokonał".

---

* pawian

Inne niezwykłe wspomnienie z czasów, gdy mieszkaliśmy w Livingstone, wiąże się z kręceniem filmu *Dual in the Jungle* (Pojedynek w dżungli). Dostaliśmy od ekipy zlecenie, aby dostarczyć wszystko, co było potrzebne, między innymi *mokoro**. Musieliśmy także znaleźć ludzi, którzy umieli w nich wiosłować na stojąco. Wynajęliśmy afrykańskich śpiewaków, dostarczaliśmy żywność, załatwialiśmy zakwaterowanie. To było ogromne i bardzo opłacalne przedsięwzięcie. W filmie brały udział gwiazdy, takie jak Jeanne Crain i Dana Andrews ze Stanów Zjednoczonych oraz David Farrar z Anglii. Dana był największym pijakiem, jakiego można sobie wyobrazić. Wyrzucono go ze wszystkich hoteli oraz z klubu policyjnego w Livingstone, dosłownie ze wszystkich lokali, w których można było wówczas kupić alkohol. Zrobiliśmy mu zdjęcie, kiedy odsypiał jedno ze swoich pijaństw na dnie *mokoro*.

Pamiętam, że Jeanne Crain była uroczą kobietą, ale jej mąż zachowywał się okropnie, był nadęty i wciąż się przechwalał. Jeanne była piękna, on — wręcz przeciwnie. Piękna i bestia. Nie mogłam się nadziwić, jak taka wspaniała dama wylądowała u boku takiego idioty.

W czasie pracy przy filmie spędziłam wiele przyjemnych chwil. Pamiętam scenę, w której Jeanne Crain idzie ścieżką przez las deszczowy w pobliżu Wodospadów Wiktorii. Lolly wdrapał się na konar drzewa rosnącego przy szlaku. Zamierzał spuścić węża, kiedy Jeanne będzie przechodzić, żeby napędzić jej strachu. Na widok gada aktorka zaczęła się drzeć, mimo że Lolly mocno go trzymał. Wąż mieszkał w skrzyni, którą trzymaliśmy w naszym domku. Zawsze na jej wieku leżał duży ciężki kamień, żeby się

---

* łódki z wydrążonych pni drzew wyrabiane przez tubylców

nie wydostał. Do dziś czuję prawdziwy respekt przed tymi stworzeniami.

Film opowiada o pracowniku firmy ubezpieczeniowej, który przyjeżdża do Afryki, żeby prowadzić dochodzenie. Jak na ironię tym „dobrym", który ostatecznie zdobywa serce pięknej panny (Jeanne Crain), był Dana Andrews, a uroczy David Farrar grał czarny charakter. W filmie zdarzały się rozmaite przygody, a Janusz i Clyde, brat Lolly'ego, dublowali gwiazdy w niebezpiecznych scenach. Podczas kręcenia jednej z nich Lolly, Clyde, i Afrykanin płynęli łodzią przez szalenie niebezpieczne katarakty Katambora. Musieli przepłynąć przed kamerą, Clyde, miał wypaść w jednym miejscu, a Murzyn w innym. Długo czekaliśmy na łódź, ale nie przypłynęła. Zaczęliśmy się niepokoić. Nagle zrobiło się zamieszanie, bo przybiegł ktoś z wiadomością, że łódka się wywróciła. I rzeczywiście tak było, ale na szczęście nikomu nic się nie stało. Scenę trzeba było nakręcić od nowa.

Innym razem podczas ujęcia na bystrzynach drugi reżyser Tony Kelly stał w łódce, choć ostrzegano go, że to niebezpieczne. Łódką płynął także Clyde, który dublował w tej scenie Danę Andrews, i afrykański aktor. W pewnej chwili łódź się wywróciła i wszyscy wpadli do wody. Drugi reżyser krzyknął:

— Nie martwcie się o mnie, poradzę sobie!

Clyde zajął się afrykańskim aktorem, który nie umiał pływać i groziło mu utonięcie. Zdołał go uratować. Wszyscy staliśmy na brzegu, patrząc z przerażeniem. Tony zamachał do nas ręką, a potem raptownie zniknął pod wodą i już się nie wynurzył. Później wyłowiono jego portfel i skarpety, ale ciała nie udało się odnaleźć. Z całą pewnością porwał go krokodyl. To straszne zobaczyć coś takiego na własne oczy.

Janusz przygotowuje się do dublowania Jeanne Crain

Praca podczas kręcenia filmu obfitowała w niezwykłe zdarzenia. Kiedyś Janusz, dublując Jeanne, musiał pływać w bystrzynie. Włożył jej sukienkę, aby się upodobnić do aktorki. Jeanne miała wspaniałe nogi, a nogi Janusza były krzywe. Do zrobienia biustu wykorzystaliśmy dwie pomarańcze. Jeanne poczuła się urażona.

— Moje kształty są pełniejsze! — zawołała.

Musieliśmy więc użyć owoców *paw-paw**. W celu odstraszenia krokodyli przed rozpoczęciem zdjęć wrzucono do wody laski dynamitu, żeby spłoszyć gady. Janusz musiał trzymać za ręce Danę i Davida. Wątpię, czy przypadło mu to do gustu!

---

* papaja

Codziennie dostarczałam aktorom i ekipie jedzenie. Było to łatwe, dopóki filmowali w pobliżu wodospadu. Czasem na planie zjawiało się nawet sześćdziesiąt osób. Przyrządzanie posiłków nie sprawiało mi trudności, mimo że nie miałam fachowego przygotowania i nie dysponowałam ani lodówkami, ani specjalistycznym sprzętem.

Pewnego dnia w czasie zdjęć w Katambora musiałam dostarczyć prowiant dla sporej grupy ludzi. Mieli być w buszu, a tam nie było żadnych wygód, toteż doszłam do wniosku, że najlepiej będzie wszystko zapakować. Pomogła mi moja wspaniała przyjaciółka Julie. Kiedy skończyłam szykowanie jedzenia i pakowanie, okazało się, że został tylko jeden pojazd, jeep bez dachu. Miałyśmy do pokonania około trzydziestu pięciu mil po suchej, pylistej drodze. Starannie ułożyłyśmy porcje w aucie i wyjechałyśmy. Dotarłyśmy na czas do Katambora i zaczęłyśmy wyjmować prowiant z samochodu. I co zobaczyłyśmy? Wszystko pokrywał piasek! Nie pozostało nam nic innego, jak tylko opłukać w rzece każdy kawałek mięsa, każdy liść sałaty. Niewiedza naprawdę była w tym wypadku błogosławieństwem, gdyż wszyscy ze smakiem zjedli lunch. Nawet nie podejrzewali, że jedzenie przeszło kąpiel w rzece uważanej za siedlisko pasożytów powodujących chorobę zwaną bilharcjoza*.

Kiedy indziej zabrakło nam wody pitnej. My, tubylcy, piliśmy wodę z katarakt na Zambezi, bo naszym zdaniem przywry nie mogą przetrwać w tak bystrej wodzie, lecz dla gości mieliśmy specjalną filtrowaną wodę w butelkach. Gdy jednak zapasy się skończyły, poszłam do miejsca nad brzegiem wyspy, gdzie jak mi

* tropikalna choroba zakaźna wywoływana przez przywry (schistosomy)

się zdawało, nikt nie mógł mnie zobaczyć, i napełniłam butelki wodą z katarakty. Niestety, ktoś mnie podejrzał i doniósł reżyserowi, który był litewskim Żydem i prawie nie mówił po angielsku. Bardzo się rozgniewał.

— Chcesz zabić moje dzieci? — zapytał.

Na szczęście nikt nie zachorował ani nie umarł ze śmiechu. Wszyscy przeżyli.

Wyczyny Janusza

Janusz pracował z nami w Livingstone. Często przyjmowaliśmy bogatych amerykańskich turystów, którzy przylatywali w głąb lądu specjalnie po to, by zobaczyć Wodospady Wiktorii. Janusz zawsze wyszukiwał zamożne starsze panie. Skakał wokół nich, opowiadał o tym, że źle mu się wiedzie, że pracuje u siostry, która nim pomiata i nie chce płacić. Dobroduszne damy użalały się nad nim, dawały duże napiwki i proponowały rozmaite rzeczy, na przykład podróże dookoła świata i wszelkie inne luksusy; obiecywały, że będą się nim opiekować i zabiorą go od niegodziwej siostry. A jak on na to reagował? Przychodził do domu i mówił:

— O rany! Ale pasztet! Nie wytrzymam z nią ani chwili dłużej!

Straszny był z niego drań!

Mój braciszek chętnie nawiązywał znajomości ze wszystkimi dziewczętami, które korzystały z naszych wycieczek. Kiedyś trafiła się nam młoda Rodezyjka studiująca wychowanie fizyczne w Nowym Jorku. Jej rodzice mieli fabrykę odzieży w Bulawayo. Janusz poznał ją, kiedy przyjechała na wakacje nad Wodospadami Wiktorii, i w mgnieniu oka oczarował. Woził ją samochodem i zabierał na koktajle. Kiedyś pojechali na kolację do Wankie, sześćdziesiąt siedem mil od Livingstone. Wakacje dobiegły końca i dziewczyna wróciła do Bulawayo. Była Żydówką. Burmistrz naszego miasta, Alec Slatzkin, także był Żydem. Kiedyś przyszedł do mnie i zapytał:

— Ala, znasz jakiegoś rosyjskiego księcia, który mieszka w Livingstone?

— Nie znam żadnego księcia — odparłam.

— Moi znajomi z Bulawayo zadzwonili do mnie i powiedzieli, że ich córka spędziła tutaj wakacje i bawiła się z rosyjskim księciem. Kazali mi się dowiedzieć, kim on jest i czym się zajmuje.

Mniej więcej tydzień później burmistrz zadzwonił.

— Wiesz, kim jest ten rosyjski książę? To twój brat.

Zapytałam, jak się tego dowiedział.

— Pojechałem do moich znajomych w Bulawayo. Zaprosili mnie na kolację. I wiesz, kogo zobaczyłem na parkiecie? Ericę tańczącą z „rosyjskim księciem". To był Janusz.

Nie wyobrażacie sobie, drodzy Czytelnicy, co uchodziło na sucho mojemu braciszkowi. Jego wyczyny wpędzały mnie w rozpacz, rwałam sobie włosy z głowy. Kiedyś spotykał się z dziewczyną o imieniu Thora. Chodzili ze sobą, a potem zrywali, trwało to dosyć długo. Najpierw była Thora, następnie inna dziewczyna, potem znowu Thora. Pewnego dnia Thora przyszła do mnie i oznajmiła, że Janusz wychodzi wieczorem z kolegami. Chciała wiedzieć, co będę robiła. Tego wieczoru musiałam być w motelu. Byliśmy jego właścicielami, a ja od czasu do czasu zastępowałam kierownika. Thora zapytała, czy może pójść ze mną. Naturalnie się zgodziłam. Nie wiedziałam, że wspominając o „kolegach", Janusz miał na myśli zwyciężczynię konkursu piękności, Miss Kroonstad z Afryki Południowej — w nagrodę dostała wycieczkę nad Wodospady Wiktorii. Nie muszę mówić, że Janusz wziął ją na celownik. Zamieszkała w naszym motelu. Kiedy podjechałyśmy pod budynek, Thora nagle wyskoczyła z samochodu, zanim zdążyłam się zatrzymać. Nie wiedziałam, co się dzieje. Thora zobaczyła, że Janusz wjeżdża na parking; obok niego na fotelu pasażera siedziała Miss Kroonstad. W Thorę wstąpił istny diabeł, rzuciła się na ślicznotkę z pazurami, chciała jej rozdrapać twarz. Rozpoczął się bardzo malowniczy pojedynek na pięści. Janusz próbował rozdzielić walczące kobiety, a ja stałam bezradnie, nie wiedząc, co robić. Byłam wściekła, zwłaszcza na brata. W końcu zdołał oderwać od siebie dziewczyny i odjechał z Miss Kroonstad. Thora wpadła w histerię, musiała zostać na noc w motelu. Kiedy Janusz wrócił, powiedziałam mu, co o tym myślę.

— Powiedziałaś, i to niemało — wtrąca Janusz, który słucha mojej relacji. — Ale nie pamiętałem, że tego dnia dostałem od ciebie lanie.

Mój brat nie żałuje żadnych wybryków; próbuje tłumaczyć swoje postępowanie.

— Lata w Livingstone to najlepszy okres w moim życiu. Było wspaniale. Jeździłem z grupami turystów na dwu- i trzydniowe wycieczki do Parku Narodowego Wankie. Nie wiem, czemu to zawdzięczałem, dziwnemu akcentowi czy urodzie, ale wszystkie kobiety, mężatki i panny, bez wyjątku dosłownie kłębiły się wokół mnie. Gdybym był kobietą, pewnie nazywano by mnie ździrą. Mężczyźnie wszystko uchodziło. Nigdy nie żyło mi się tak dobrze. Naturalnie lubiłem Livingstone także z innych powodów. To piękne miejsce, a nam na niczym wówczas nie zbywało. Ale najważniejsze były jednak kobiety.

Janusz musiał być dobry w tym, co robił, gdyż sporo kobiet wracało po więcej!

Afryka oczarowała mnie tak samo jak mojego brata. Był to kontynent dziki i nieskażony. Kiedy tu przybyliśmy, nie mieliśmy nic. Dzięki ciężkiej pracy i determinacji zdołaliśmy urzeczywistnić naszą wizję szczęśliwego życia i wiele osiągnąć. Dziś ludzie nie mają takich możliwości. Na swoje nieszczęście mój brat był przystojny i sporo zarabiał, więc zdobywanie kobiet przychodziło mu z łatwością. Ja nie ośmieliłabym się na romanse przed ślubem. Zawsze istniało niebezpieczeństwo, że zajdę w ciążę, a to uważane było za hańbę. Oprócz Lolly'ego poważnie myślałam tylko o jednym mężczyźnie, pewnym Polaku, z którym korespondowałam. Był wojskowym i nigdy się nie spotkaliśmy. Zamierzał wyjechać do Australii i chciał, żebym odwiedziła go razem z mamą. Mama bardzo się zapaliła do tego pomysłu, głównie dlatego, że ów kawaler był Polakiem, ale mnie to nie nęciło. Musiałybyśmy zaczynać wszystko od nowa, a poza tym w gruncie rzeczy nie znałam tego człowieka.

Janusz natomiast był zepsuty, kobiety się za nim uganiały. Wtedy nie rozumiałam, dlaczego tak się dzieje. W tych czasach to mężczyźni mieli zabiegać o względy panien.

— Ciągle pytasz, co kobiety we mnie widzą — mówił Janusz. — Powiedziałbym ci, gdybyś nie była moją siostrą.

Hańba, którą pociągał za sobą seks przedmałżeński, nie stanowiła dla Janusza problemu. Pozwalał sobie na liczne romanse. Nie wiem, jak to się działo, że jego przyjaciółki nie zachodziły w ciążę, bo w tamtych czasach nie było czegoś takiego jak pigułki antykoncepcyjne. Poza tym nikt nie musiał się wówczas martwić o AIDS. Janusz był niegrzecznym chłopcem i teraz się do tego przyznaje. Szaleńczo uwielbiał życie. Pewnie myślał, że powinien korzystać z każdego dnia, bo nie wiedział, co przyniesie jutro. Jestem przekonana, że jego styl życia i amoralność były następstwem tego, co przeszedł w dzieciństwie. Nauczył się, że przyszłość jest niepewna, brał więc wszystko, co wpadało mu w ręce. Ja rekompensowałam sobie potworności życia na Syberii, pustosząc lodówkę, a on odpędzał lęk, sypiając z kobietami. Nie było psychiatrów, którzy pomogliby nam radzić sobie z traumatycznymi przeżyciami, zatem radziliśmy sobie sami tak, jak każde umiało najlepiej.

Polowanie na krokodyle oraz inne przygody

O dziwo, kobiety nie stanowiły jedynej podniety w życiu Janusza. Polowanie na krokodyle okazało się równie ekscytujące, a przy tym było nader opłacalne. Mój mąż często jeździł polować z Johnem Colemanem. Był to *game ranger**, którego rejon znajdował się w pobliżu Wodospadów Wiktorii. Mam wrażenie, że wspólnie wystrzelali prawie wszystkie krokodyle w Zambezi! Lolly miał licencję na eksport skór do Francji i innych krajów europejskich, nie musiał sprawdzać pozwoleń ludzi, od których kupował; mimo to kłusownictwo było niezgodne z prawem. Większość ludzi nie miała nic przeciwko strzelaniu do krokodyli, gdyż było ich o wiele za dużo, a sporty wodne na rzece stawały się z ich powodu niebezpieczne. Jednakże masowe zabijanie krokodyli zakłóciło równowagę ekologiczną w rzece, zabrakło drapieżników, więc nagle zaroiło

---

* strażnik przyrody w afrykańskich parkach narodowych i rezerwatach

się w niej od brzan. Kiedy ludzie ingerują w środowisko naturalne, zawsze pociąga to za sobą jakieś konsekwencje.

Sprzedaż skór krokodyli przynosiła spore zyski. Lolly płacił piętnaście szylingów za cal, więc jeśli krokodyl miał średnio trzydzieści pięć cali długości, można było nieźle zarobić. Januszowi szczególnie się to opłacało, bo przed dostarczeniem skóry Lolly'emu maksymalnie ją rozciągał. Dzięki temu stać go było na luksusowe samochody, szybkie motorówki i mnóstwo szampana, do którego miał wyjątkową słabość. Gdy zaczynało mu brakować skór, sprzedawał Lolly'emu wszystkie, które miał, a później podkradał od niego towar i sprzedawał ponownie.

Pewnego razu Janusz, Lolly i pan Barbosa wybrali się na krokodyle do Angoli. Pan Barbosa pojechał jako tłumacz. W Angoli komisarze okręgowi, zwani *chef de poss*, decydują, komu wolno, a komu nie wolno polować na krokodyle. Lolly udał się do jednego z nich, a pan Barbosa, z zawodu robotnik budowlany, przedstawił się jako inżynier. Janusz zmierzył go wzrokiem od góry do dołu.

— Od kiedy to jesteś inżynierem? — spytał. — Jeśli ty jesteś inżynierem, to ja nazywam się doktor Kuchciński.

Lolly, który nigdy nie kłamał, przedstawił się po prostu jako Lolly Sussens. Myśliwi oraz „inżynier" Barbosa wydali przyjęcie, a Janusz jak zawsze wszystkim zaimponował. Ułatwiło to zdobycie pozwolenia na odstrzał krokodyli. Otrzymawszy je, wyruszyli nad rzekę.

Pewnego dnia w czasie polowania zauważyli zbliżającą się drewnianą łódkę motorową; to posłaniec przyniósł im wiadomość od komisarza. Okazało się, że jego żona poważnie zachorowała i potrzebuje lekarza. Komisarz pytał, czy doktor Kuchciński zechce przybyć.

— Lepiej tam jedź i dobrze odegraj rolę doktora — poradzili mu koledzy — bo jeśli tego nie zrobisz, komisarz cofnie nam pozwolenie. To pewnie będzie malaria albo grypa. A może kobieta jest w ciąży. Tak czy owak musisz tam popłynąć i jakoś załatwić sprawę.

Janusz wziął apteczkę pierwszej pomocy i popłynął motorówką. W typowy dla siebie sposób zdołał oczarować damę. Oprócz tego dał jej aspirynę. Komisarz przysłał następną wiadomość, w której zapraszał pana doktora i jego towarzyszy na kolację, gdyż jego żona poczuła się o wiele lepiej. Może urok Janusza odpędził jej dolegliwości.

Mój brat ma znacznie więcej do powiedzenia o wyprawie do Angoli.

— Rzeka przepływa tam przez mokradła o szerokości około dwunastu mil. Jest długa, bardzo kręta. Na wszystkich zakolach znajdują się piaszczyste łachy, a na każdej wylegują się krokodyle. Zwykle trzeba poświęcić cały wieczór, żeby zabić dziesięć do piętnastu gadów, ale tam już o godzinie ósmej czy dziewiątej trzeba było wracać do obozu, bo mieliśmy ich aż za dużo. Raz zabłądziliśmy. Są tam ruchome wyspy, czasem trudno się z nich wydostać. Kiedy człowiek jest niewyspany i spędzi na rzece długie godziny, ogarnia go senność. Owego wieczoru Lolly siedział na dziobie, a ja na rufie. Obu nas zmorzył sen. Murzyn, który zajmował miejsce pomiędzy nami, miał przebijać włócznią każdego ustrzelonego krokodyla. Trzeba było tak robić, bo inaczej opadały na błotniste dno i nie dało się ich wydobyć. Tej nocy Lolly i ja twardo spaliśmy. Murzyn miał na głowie czapkę, bo było mu zimno. Obudziłem się o brzasku i zobaczyłem dużego krokodyla z szeroko otwartą paszczą zbliżającego się do głowy Murzyna, który zasnął oparty o burtę łodzi. Lolly też się obudził i odciągnął faceta od burty dosłownie w chwili, gdy bestia kłapnęła szczękami. Odgłos przypominał wystrzał z karabinu! Gdyby nie Lolly, facet zostałby bez głowy! Tego samego dnia — ciągnął Janusz — zauważyliśmy wielką rybę zawieszoną wśród gałęzi drzewa rosnącego nad brzegiem rzeki. Podpłynąłem bliżej i wysiadłem z łodzi, żeby zobaczyć, co to takiego. Nagle wpadłem w pułapkę na krokodyle zastawioną przez tubylców. Wykopali otwór w ziemi, wbili pale i przykryli wszystko gałęziami, a nad pułapką zawiesili rybę. Jeden z zaostrzonych drągów wbił mi się w rękę. Lolly mnie wyciągnął, ale dostałem zakażenia krwi.

Lolly i Janusz nie przepadali za Barbosą. Pewnego razu wypadł z łodzi i znalazł się pod jej dnem. Robili wszystko, żeby go ratować, a on twierdził później, że chcieli go utopić, bo gdy się wynurzał, natychmiast wpychali go z powrotem do wody. Prawda zaś była taka, że uderzał głową w dno łodzi.

Nasz interes kwitł. Dokupiliśmy więcej samochodów, drugi statek pasażerski i parę łodzi motorowych. Lolly przewiózł je nad rzekę Maramba płynącą po północnorodezyjskiej stronie wodospadu. W pobliżu łodzi umieścił wielkiego krokodyla, żeby klienci mieli co podziwiać. Janusz opowiada, jak do tego doszło:

— Złapaliśmy krokodyla długości piętnastu stóp i znaleźliśmy dla niego miejsce nieopodal łodzi. Klienci mogli go oglądać i robić sobie zdjęcia przed wyruszeniem na rzekę. Gad przydał się także, gdy brat Lolly'ego postanowił nakręcić film o krokodylach. W jednej ze scen afrykański aktor podchodzi do wody i zostaje porwany przez bestię. Clyde miał wskoczyć za nimi z nożem w najważniejszym momencie i zarżnąć gada. Związali krokodylowi paszczę sznurem. Aktor zbliżył się do rzeki, by napełnić wodą wiadro. Do nogi przywiązał sobie linę, za którą mieliśmy gwałtownie pociągnąć, żeby wyglądało tak, jakby zaatakował go krokodyl. Wyszłoby bardzo efektowne ujęcie. Niestety, leniwa bestia nie miała ochoty grać, leżała nieruchomo na brzegu. „Dźgnijcie go w grzbiet!", krzyknąłem. Clyde poszedł za moją radą, a wtedy krokodyl się wściekł. Zwinął się i zaczął walić ogonem o ziemię. Wszyscy myśleli, że zerwie sznur i kogoś zabije. Na szczęście udało się to sfilmować, scena wyszła świetnie i nikt nie został zraniony.

Polowanie na krokodyle nie było jedyną rozrywką myśliwską Janusza. Lolly nauczył go polować na słonie. Na pierwszą wyprawę pojechali zielonym jeepem, spotkali się z Clyde'em i wyruszyli na poszukiwanie słoni. Tropili je przez kilka dni, w końcu podeszli trzy ogromne zwierzęta i zastrzelili je. Polowali jeszcze przez trzy dni, a potem wrócili na miejsce, w którym zostawili ubite słonie. Zwierzęta wciąż leżały na słońcu. W okolicy znajdowało się wiele wiosek, tubylcy oczywiście przyszli po mięso. Ścierwa słoni okropnie spuchły w czterdziestostopniowym upale i przeraźliwie cuchnęły. Clyde wspiął się na jedno z nich z karabinem. Tubylcy stali z *panga** w dłoniach, gotowi w każdej chwili zacząć ćwiartować mięso. Ktoś musiał przypadkowo wbić ostrze w żołądek słonia, bo nastąpił głośny wybuch i Clyde runął na ziemię. Jeden z tubylców złamał rękę, ale pozostali zabrali się do krojenia mięsa. W ciągu półtorej godziny nic nie pozostało z wielkiego zwierzęcia.

Spędziłam wiele niespokojnych godzin w czasie wypadów Lolly'ego i Janusza. Kiedyś Lolly został poproszony o przetransportowanie pięćdziesięciostopowej łodzi z Diabelskiej Katarakty przy Wodospadach Wiktorii do Katambora. Przewiezienie jej lądem byłoby bardzo kosztowne i czasochłonne, więc postanowiono

* rodzaj afrykańskiej maczety

przeciągnąć ją w górę rzeki. Poziom wody był wówczas wysoki, ale trzeba było płynąć pod bardzo wartki prąd katarakt Katambora. Nikt przedtem nie próbował tak niebezpiecznej przeprawy. Lolly pamięta, że zobaczył częściowo zatopiony pień drzewa i zerknął na zegarek.

— Pół godziny później wciąż usiłowaliśmy przepłynąć obok niego. Pokonanie kilkunastu stóp trwało w nieskończoność!

Ostatecznie zdołali dopłynąć do celu, ja zaś spodziewałam się w każdej chwili ujrzeć dwa trupy i masę strzaskanego drewna w białej kipieli Wodospadów Wiktorii.

Wielką rolę w życiu Janusza odgrywały kobiety. Mój brat lubi wspominać zwłaszcza jedną z dam. Zapamiętałam ją szczególnie dobrze, bo musiałam wezwać policję, żeby powstrzymać brata przed ucieczką z nią. Miał wtedy jakieś siedemnaście lat.

— Zostałem majstrem od pił, ostrzyłem piły dla tartaków — wspomina Janusz. — Mniej więcej w tym samym czasie zająłem się kłusownictwem, bo Lolly płacił dobrze za skóry krokodyli. Miałem pełne ręce roboty, gdyż w moim życiu pojawiła się kobieta. Jakieś siedem lat starsza ode mnie, uwielbiała uprawiać miłość. Nieprzerwany wysiłek sprawił, że zostały ze mnie skóra i kości.

Mama, Pam, Janusz i matka Pam w czasie wesela

Wyglądałem jak kościotrup. Romans trwał prawie rok. Wtedy wkroczyła Ala i położyła wszystkiemu kres.

Styl życia Janusza mnie szokował, nigdy nie przyszłoby mi do głowy postępować tak jak on.

Wkrótce po tym, jak przerwałam jego związek z rozwódką, Janusz poznał Pam. Miał wówczas dziewiętnaście lat. Często jeździli jego motorem. Była od niego starsza i zaszła w ciążę. W takiej sytuacji w tamtych czasach należało wziąć ślub. To było małe wesele: nasza mama, matka Pam, Lolly i ja.

Pam miała tylko pięć stóp wzrostu, ale była bardzo ładna. Urodziła im się córeczka Tereska i przeprowadzili się do Lusaki. Janusz zdołał znaleźć tam pracę. Wciąż był bardzo wychudzony po swoim poprzednim romansie, ale przez pewien czas dobrze im się układało.

Janusz i Pam mieszkali w Lusace przez jakieś trzy lata, a potem Pam wróciła do Livingstone, bo w małżeństwie nie działo się dobrze.

Właśnie wtedy, gdy Janusz mieszkał w Lusace, Lolly i ja wzięliśmy ślub.

Ślub

Moje narzeczeństwo z Lollym trwało z przerwami siedem lat! Nie myślałam poważnie o zamążpójściu. Kochałam Lolly'ego, ale kochałam także towarzystwo innych ludzi; uwielbiałam wśród nich przebywać i ich poznawać, miałam krąg cudownych przyjaciół. Powiedziałam Lolly'emu, że powinniśmy wziąć ślub dopiero wówczas, gdy będziemy mieli dom. Jednakże pieniądze szły na rozwój firmy i na budowę domu ciągle ich brakowało.

Życie było wspaniałe, lecz swoje obowiązki traktowaliśmy poważnie. Pamiętam, że któregoś roku w sylwestra wszyscy nasi znajomi poszli na zabawę, a my musieliśmy pracować. Przez całą noc odbierałam telefony, a Lolly jeździł taksówką. Dobrze nam się współpracowało. Firma się rozrastała, zarabialiśmy coraz więcej i wreszcie zbudowaliśmy dom. Moja mama nie była zachwycona tym, że wychodzę za Południowoafrykańczyka, wolałaby, żebym związała się z Polakiem. Kosztowało ją to wiele nerwów. Muszę jednak przyznać, że później bardzo polubiła Lolly'ego.

Przed ślubem postanowiliśmy wybrać się na safari z dwojgiem przyjaciół, Johnem i Claire. Lolly był jednak zajęty i nie mógł wyjechać razem z nami, wyruszyliśmy więc nad Tanganikę we troje. Lolly miał do nas dołączyć w Kenii. Zanim tam dotarliśmy, obcięłam włosy. Lolly tak się tym przejął, że oskarżył mnie o obcięcie jego „uczuć"! W Nairobi wielki lęk budziła antykolonialna organizacja Mau-Mau, która dopuściła się wielu strasznych zbrodni. W hotelu, w którym się zatrzymaliśmy, aresztowano czarnych pracowników pod zarzutem przynależności do rebeliantów. Hotel Tree Tops spłonął dzień przed naszym przybyciem. Byłam tam kiedyś na potańcówce. Pamiętam, że wszyscy oficerowie, z którymi tańczyłam, nosili nabitą broń w kaburach.

W drodze do Konga Belgijskiego* musieliśmy przejechać wąskim szlakiem przez wysoką przełęcz. Nie wiedzieliśmy, że szlak jest jednokierunkowy. Jednego dnia ruch odbywał się na północ, a drugiego na południe. Tak się złożyło, że przyjechaliśmy w niewłaściwym dniu. Powiedziano nam jednak, że po godzinie osiemnastej będziemy mogli kontynuować podróż. Znaleźliśmy dobre miejsce na postój, Lolly postanowił wykorzystać ten czas na przegląd samochodu. Wzięłam koc i książkę i usadowiłam się wygodnie pod drzewem. Całkowicie pochłonięta lekturą nagle usłyszałam, że Lolly krzyczy, abym się nie ruszała. Spojrzałam w górę i zobaczyłam nad głową ogromną czarną mambę. Zawsze bałam się węży, więc struchlałam ze strachu! Na szczęście straszny gad spełzł w końcu z drzewa i mogłam schronić się w samochodzie. W czasie safari odwiedziliśmy również Ugandę, a potem wróciliśmy do domu, by zająć się przygotowaniami do wesela.

---

* obecnia Demokratyczna Republika Konga

Mniej więcej dwa tygodnie przed ślubem ojciec Lolly'ego przyjechał do Livingstone i powiedział do syna:

— Nie wolno ci się ożenić z katoliczką. Musisz zmienić plany. Nie ma mowy o katolickim ślubie.

To było dziwne, gdyż Ian, brat Lolly'ego, też ożenił się z katoliczką, francuską dziewczyną o imieniu Odette. Lolly przyszedł do mnie i oznajmił:

— Musimy zmienić plany w związku ze ślubem.

Jednakże byłam uparta.

— W takim razie nie będzie ślubu — odparłam. Te słowa dały mojemu narzeczonemu do myślenia!

Mimo obiekcji rodziców wysłaliśmy zaproszenia do około trzystu pięćdziesięciu osób; to miało być ogromne wesele, gdyż przyjaźnie miały dla nas duże znaczenie. W Livingstone wszyscy nas wtedy znali.

Nasz okres narzeczeński trwał siedem lat, toteż doszło do tego, że znajomi spekulowali między sobą, czy w ogóle się pobierzemy. Byli przyjemnie zaskoczeni, kiedy oznajmiliśmy, że dom jest ukończony i w związku z tym możemy wziąć ślub. W czasie przygotowań Lolly dostał zapalenia wyrostka robaczkowego. Lekarz, który miał go operować, doktor Major, przed zabiegiem lubił się pokrzepić sporą szklaneczką czegoś mocniejszego. Takie to były czasy! Po wypiciu szklaneczki dokonał operacji, ale zostawił w ranie trochę waty. Kilka dni później w czasie spaceru nagle zauważyłam na nodze Lolly'ego czerwony strumień. Krew. Doszło do zakażenia, które wymagało długotrwałego leczenia. Lolly nie czuł się dobrze.

Mimo to nie zaniechaliśmy przygotowań do ślubu. Nie było wtedy czegoś takiego jak catering, więc wszyscy moi znajomi

Nasz ślub,
2 października 1954

przychodzili do naszego pustego domu (nie mieliśmy w nim żadnych mebli), zostawali na cały tydzień, piekli i gotowali dla trzystu pięćdziesięciu osób! Było wspaniale. Na podjeździe domu stały samochody strażackie, osobowe i ciężarowe. Lolly leżał na jedynym łóżku w sypialni, podczas gdy w kuchni trwały przygotowania. Czasem zastanawiam się, czy teraz można mieć takich przyjaciół jak wtedy. Przyjaciółki uszyły suknię ślubną dla mnie i sukienki dla druhen. Miałam cztery druhny i jedną kwiaciarkę. Wszystkie były ubrane na biało i niosły czerwone róże na cześć barw narodowych Polski. Miałam na sobie białą suknię, a w dłoni białe lilie. Pomimo obiekcji dotyczących katolickiego ślubu zarówno ojciec, jak i brat Lolly'ego przyszli do kościoła. Był upalny dzień. Pamiętam, jak stałam przed ołtarzem, a po nogach spływały mi strugi potu. Byłam dość pulchną panną młodą, co przy tej temperaturze dało mi się we znaki. Biedny Lolly wciąż cierpiał, ale najgorsze było wtedy, gdy doktor powiedział:

— Umyślnie zostawiłem ci kawałek waty w brzuchu, aby zająć twoje miejsce.

Lolly dokuśtykał jakoś do ołtarza, lecz wesele nie sprawiło mu wielkiej przyjemności. Natomiast ja bawiłam się świetnie. Spędziłam popołudnie, śpiewając piosenki z chłopakami, było fantastycznie! Miałam prawdziwe, radosne rodezyjskie wesele. Jedzenie było wyśmienite, towarzystwo cudowne. Wszystko udało się wspaniale.

Po weselu pojechaliśmy z Lollym i grupą przyjaciół samochodami do Bulawayo. Stamtąd udałam się z moim mężem w podróż poślubną na Przylądek Dobrej Nadziei. Nie pamiętam wiele z mojego miesiąca miodowego poza tym, że Lolly nie czuł się najlepiej. Niestety, wyprawa nie zapisała się w naszej pamięci tak dobrze, jak powinna.

Dom zbudowany przez nas w Livingstone był otwarty dla każdego, kto chciał się posilić lub przenocować. Tak się wówczas żyło na przedmieściach w Rodezji. Zawsze otaczali nas ludzie. Przyjaciele zjeżdżali się z farm, a nawet z tak odległych miejsc jak Botswana. Nasz dom tętnił życiem. Nigdy nie wiedziałam, ilu osób spodziewać się na lunchu. Na szczęście mój kucharz Paul umiał sobie poradzić w każdej sytuacji. Pytał o liczbę osób, a ja zwykle odpowiadałam, że cztery. Później telefonowałam, informując, że będzie jednak dziesięć osób. Paul się tym nie przejmował i odpowiadał, że nie szkodzi, bo i tak zawsze gotuje dla piętnastu. Tak właśnie chciałam. Byliśmy bardzo gościnni. Mieliśmy wielu przyjaciół. Z niektórymi wciąż utrzymujemy kontakt. Zawsze mówię, że rzeczy można kupić, ale przyjaciół nie, oni są błogosławieństwem losu. Czasem nie jedliśmy posiłku w domu, ale nad rzeką przy przystani piekliśmy *braai**.

Żona Janusza, Pam, przyjechała do nas z dwuletnią córeczką Tereską z Lusaki i oznajmiła, że mój brat nie może im zapewnić dachu nad głową, gdyż mieszka w przyczepie. W tym czasie pracował u nas John Slade. Okazał się świetnym pracownikiem, byliśmy z niego zadowoleni. Pewnego dnia powiedział nam:

— Przykro mi, ale muszę was opuścić.

Zapytałam dlaczego, dodając:

— Dobrze ci życzymy i będzie nam przykro, jeśli odejdziesz, ale jaki jest powód?

Na to John wypalił:

— No cóż, zakochałem się w Pam.

Spytałam, czy Janusz o tym wie.

— Nie, ale przyjeżdża w ten weekend i będziemy musieli mu powiedzieć — odparł John.

Było mi żal brata, który miał usłyszeć tak smutną nowinę. Gdy Janusz przyjechał, John podszedł do niego.

— Bardzo mi przykro, stary, ale muszę ci powiedzieć, że Pam i ja się kochamy i chcemy razem wyjechać — wyjaśnił.

---

* grill

Janusz porwał go w ramiona.

— Jesteś moim najlepszym przyjacielem, nikt nie oddał mi większej przysługi.

Mój brat uważał, że to najwspanialsza rzecz, jaka mogła mu się przydarzyć. Zmęczył się żoną i marzył o odzyskaniu wolności. A my wciąż przyjaźnimy się z Johnem.

Janusz twierdził, że tylko jedną kobietę naprawdę kochał. Była to piękna i zgrabna Francuzka — niestety, zginęła w wypadku samochodowym. Janusz był z tego powodu bardzo przybity. Stało się to, gdy mieszkał w Lusace, ale wpłynęło na całe jego życie. Wrócił do Livingstone na stałe i zaproponowałam mu pracę mechanika, wiedząc, że ukończył kurs w Lusace. Zajął się serwisowaniem naszych samochodów, pływał z klientami na rzeczne wyspy, woził ich samochodami i oprowadzał po Livingstone.

Nasz dom w Livingstone

Zanim John wyjechał z Pam, Janusz mieszkał z nim w jednym pokoju. Co ciekawe, nie było między nimi wrogości. Kiedy John i Pam wyjechali na północ, mój brat stracił kontakt z córką. Znacznie później Pam rozwiodła się z Januszem i wyszła za mąż za Johna. Smutne było to, że gdy chciałam zaadoptować Tereskę, jej matka odmówiła; skłoniła Janusza do podpisania papierów pod pretekstem, że wysyła dziecko na wakacje do babci. Tymczasem wysłała ją do babci w Anglii, na piętnaście lat. Dziewczynka została oddzielona od obojga rodziców i była bardzo nieszczęśliwa. Jaka szkoda, że nie mogłam wziąć jej pod swoją opiekę. Żyłaby w szczęśliwym domu i chodziła do dobrej szkoły w Livingstone.

Interesy szły świetnie. Nie pamiętam, w którym roku to się stało, ale przejęliśmy na wyłączność obsługę wszystkich wycieczek do Wodospadów Wiktorii. Otworzyliśmy tam swoje biuro. Czasami myślę, że musiałam otrzymać jakiś dar od Boga. Nie jestem artystką, nie umiem nawet przyszyć guzika do marynarki, ale potrafię być kreatywna w interesach. Lubię swój zawód i uwielbiam przebywać z ludźmi. Biznes i oddanie pracy zawsze są dla mnie na pierwszym miejscu.

Nie planowaliśmy od razu mieć dzieci, mimo że w chwili ślubu miałam dwadzieścia cztery lata, a Lolly trzydzieści dwa. Wiedziałam, czego chcę od życia, więc urodzenie dziecka odłożyłam na później. Dobrze nam było razem i wcale nie czułam, że potomstwo powiększy nasze szczęście.

Do wszystkiego podchodziliśmy pozytywnie. Musieliśmy kupować samochody w leasingu, ale czuliśmy się bezpieczni, gdyż przemysł turystyczny się rozwijał. Bóg był dla nas łaskawy. Trafili nam się wspaniali agenci podróży, którzy przysyłali nam mnóstwo klientów, oraz inni wpływowi ludzie, którzy w nas wierzyli. Dzięki pracy zawodowej zdobyłam przyjaciół oraz poznałam najrozmaitszych ciekawych ludzi, od niedomytych włóczęgów po członków rodzin królewskich. Lubię wyzwania, a tryb życia, który prowadziliśmy, był nieustającą przygodą. To ważne, by zachować wiarę w sukces — z takim nastawieniem można przejść przez życie i dotrzeć na szczyt, nie czyniąc nikomu krzywdy. Dla człowieka sukcesu najistotniejsze jest pozytywne myślenie.

Sprawy rodzinne

Dwa lata po ślubie zaczęliśmy uczyć się pilotażu. Co dzień działo się coś nowego, jak to w życiu młodych ludzi. Zaprzyjaźniliśmy się z doktorem Nollym Zaloumisem, który później odegrał ważną rolę w kwestii ochrony południowoafrykańskiej przyrody, pomógł utworzyć Park Narodowy St. Lucia. Doktor studiował w Johannesburgu, zaczął praktykować jako dentysta w tym samym budynku, w którym mieściło się biuro naszej firmy. Miał w sobie niespożytą energię. Nie był żonaty, zaprosiliśmy go więc na wieczorny posiłek. Po jedzeniu Lolly i Nolly sadowili się w fotelach po moich obu stronach i zasypiali. Ja tymczasem plotłam beztrosko, dopóki nie zauważyłam, że mówię do siebie. We troje postanowiliśmy nauczyć się pilotować samolot. Wieczorami jeździliśmy na lotnisko i regularnie braliśmy lekcje. W sumie było nas pięcioro: nasza trójka i młode małżeństwo. Byłam bardzo zażenowana, widząc, że tylko troje z nas słucha wykładu — moi towarzysze jak zwykle ucięli sobie drzemkę. Kopnęłam ich pod stołem w nogi. Mieliśmy świetnego instruktora. Tylko raz się przestraszyłam, gdy podczas lotu kokpit wypełnił się dymem i instruktor musiał awaryjnie lądować. Spodobało mi się latanie i chciałam kontynuować naukę, ale odkryłam, że jestem w ciąży. Lolly nalegał, żebyśmy powiększyli rodzinę, choć nie za bardzo się do tego paliłam. Tak zakończyła się moja przygoda z lataniem. Żadne z nas nie ukończyło kursu, gdyż towarzyszący mi mężczyźni nie przykładali się do nauki.

Janusz wrócił z Lusaki i podjął u nas pracę; zatrudniliśmy również niejakiego Stewarta Campbella. Obaj podziwiali mnie i szanowali, ale zawsze robili wszystko po swojemu. Doskonale się przy tym bawili. Stanowiliśmy zgraną paczkę.

Stewart Campbell to była postać! Nosił długie włosy, co w tamtych czasach uważano za ekscentryzm. Pewnego razu wybraliśmy się na potańcówkę do knajpy Falls Tearoom nad brzegiem Zambezi. Nieopodal naszego stolika usiadł mężczyzna z długimi potarganymi włosami; pracował dla konkurencyjnej firmy organizującej wycieczki po południoworodezyjskiej stronie rzeki. Stewart zapytał mnie, czy wygląda tak samo okropnie jak tamten.

— Wyglądasz o wiele gorzej — zapewniłam.

Nazajutrz rano zobaczyliśmy Stewarta wysiadającego z samochodu. Było bardzo gorąco, a on miał na głowie ogromny kapelusz i wielką chustę na szyi.

— Stewart, co ci się stało? — spytałam. — Źle się czujesz?

— Nie, czuję się świetnie.

— To dlaczego nosisz chustę na szyi?

Stewart zdjął kapelusz i chustę i okazało się, że całkowicie ściął włosy.

Wydaje mi się, że czuł do mnie miętę. Nawet później, jak zamieszkałam w Tshukudu, dzwonił kilka razy i pytał, czy mój mąż żyje. Zrobiłam na nim wielkie wrażenie, ale sama nie zwracałam na niego uwagi, traktowałam go jak przyjaciela.

Stewart był żonaty trzy lub cztery razy. Po raz ostatni odwiedził nas w trakcie kolejnego miesiąca miodowego. Ożenił się z cudowną kobietą, baronową. Niestety, zmarła na raka.

Janusz także pamięta Stewarta.

— Uroczy facet. Miał niezwykłą osobowość i był największym gawędziarzem, jakiego w życiu spotkałem. Obliczyłem, że aby dokonać wszystkiego, co sobie przypisywał, musiałby żyć dwieście pięćdziesiąt lat. Ludzie go uwielbiali. Był silny i dobrze zbudowany, a do tego nosił brodę. Bardzo podobał się kobietom. Kiedy pracowaliśmy w Rodezji, wygrał na loterii, a ja pomagałem mu wydać pieniądze. Mieliśmy wakacje, łodzie, samochody i kobiety. Zamieszkałem z nim w domku w Victoria Falls, który wyłożył perskimi dywanami i wypełnił luksusowym wyposażeniem. Kiedy pieniądze się skończyły, wyprowadziłem się. Sypialiśmy z tą samą dziewczyną. Była żoną malarza, Stewart mi ją przedstawił i w ten sposób ją stracił. Miał mi to za złe i chyba dlatego się wyprowadziłem.

A wracając do naszych domowych wydarzeń: byłam w ciąży i musiałam pomyśleć o sobie. Przede wszystkim zaczęłam uczyć moją przyjaciółkę Yvonne, jak prowadzić biuro. Rozpoczęła pracę miesiąc przed tym, jak urodziłam Iana. Po jego narodzinach zaglądałam do niej, żeby zobaczyć, jak sobie radzi. Rozkwitłam w ciąży. Miałam ładną twarz, ale zrobiłam się ogromna. Pamiętam, że jeździłam samochodem, chociaż byłam w zaawansowanej ciąży. Zapewnialiśmy przewozy załogom linii Central African Airways. Podjeżdżałam po pilotów do hotelu Victoria Falls i widziałam uśmiechy na ich twarzach na mój widok; miny rzedły im, gdy dostrzegali mój wielki brzuch oparty o kierownicę. Dobrze się czułam w ciąży. Rzadko miewałam poranne mdłości — wywoływał je tylko zapach kawy. Chodziłam nawet na tańce. Pamiętam, że tańczyłam dzień przed urodzeniem Iana!

Przez cały ten czas próbowałam pomóc ojcu wydostać się z Polski, lecz było to niesłychanie trudne. On robił wszystko, co mógł, a ja prowadziłam walkę w Livingstone. W końcu mogłam mu wysłać depeszę z wiadomością, że zdobyliśmy dla niego wizę Rodezji Północnej, i z zapytaniem, pod jaki adres wysłać mu bilet. Nie potrzebował biletu, bo zaoszczędził wystarczająco dużo, by go sobie kupić. Podał datę przylotu. Byłam wówczas mniej więcej w siódmym miesiącu ciąży. Powiedziałam o wszystkim mamie i rozpłakałyśmy się, prawie wpadłyśmy w histerię. Nie wiedziałyśmy, od czego zacząć, co zorganizować. Mama musiała przygotować mieszkanie. Dosłownie wychodziłam z siebie, myśląc o spotkaniu z ojcem. Nie umiem opowiedzieć, co poczułam na jego widok po osiemnastu latach rozłąki. Miałam dziewięć lat, gdy pożegnałam się z nim, żywiąc nadzieję, że zobaczę go za kilka dni, ale nie wiedząc, czy jeszcze kiedykolwiek się spotkamy. Postanowiłyśmy z mamą, że ona i tata powinni pojechać do Victoria Falls, żeby poznać się na nowo.

Gdy samolot podszedł do lądowania, chodziłyśmy w jedną i w drugą stronę po pasie startowym; nie miałyśmy pojęcia, co się stanie. Nagle zobaczyłyśmy wysiadających ludzi, a wśród nich tatę. Poczułam się tak, jakbyśmy byli sobie obcy. Ojciec miał przed sobą ciężarną kobietę, którą pamiętał jako małą dziewczynkę. Gdy spotkałyśmy się z mamą po kilku dniach, powiedziała:

— Tata się zmienił, życie się zmieniło. Już nigdy nie będzie tak samo.

Ale i tak było cudownie. Ojciec lubił wędkować, więc Lolly zabrał go nad rzekę. Przez cały czas rozłąki z mamą ojciec nie miał ani jednego romansu. Tak bardzo kochał mamę. Uwielbiał jeździć rowerem nad rzekę Zamben, aby łowić ryby. Mniej więcej w tym właśnie czasie Janusz i Ian, brat Lolly'ego, zaczęli robić dziwne wypady.

Pewnej bardzo zimnej nocy lipcowej Janusz i Ian postanowili wybrać się na krokodyle. Naturalnie nie powinni byli się tam udawać, ale nikt nie wiedział, co knują. „Pożyczyli" podczepiany silnik, łódź i strzelby. Poziom wody był wysoki, łódź uderzyła w kłodę i błyskawicznie poszła na dno. Janusz i Ian zdołali wspiąć się na częściowo zanurzony pień małego drzewa. Na zesłaniu Janusz potrafił utrzymać ciepłotę ciała nawet w czasie mrozu, ale tej nocy było to naprawdę trudne. Obejmowali się, żeby było im cieplej. Strzelby utonęły wraz z łodzią i nie mieli czym się bronić przed krokodylami. Mieli świadomość, że nie wiem, gdzie się znajdują, a nawet gdybym wiedziała, nie mogłam pójść na policję, gdyż musiałabym powiedzieć, że Janusz i Ian zamierzali kłusować.

Oni nie wracali, a ja odchodziłam od zmysłów, zwłaszcza że Odette, żona Iana, też spodziewała się dziecka. Nie wiedziałyśmy, co robić. Zasugerowałam, żebyśmy pojechały ich szukać. Dojechałam do drogi do Katambory, lecz nie miałam pojęcia, w którą stronę skręcić. Doszłam do wniosku, że możemy tylko czekać. Gdyby Janusz i Ian utonęli, szybko byśmy się o tym dowiedziały. Zostali uratowani, ale musieli tłumaczyć się z „pożyczenia" łodzi, silnika i strzelb, które należały do Lolly'ego.

Ian, mój pierwszy syn, przyszedł na świat w dniu urodzin Yvonne. Lolly pojechał tego dnia polować. Była niedziela i mój lekarz Corrie de Kock zaprosił go na swoją farmę na polowanie.

Ian i ja

Ja poszłam zjeść lunch z mamą i tatą. Pół godziny po posiłku poczułam pierwsze bóle. Zaczyna się, pomyślałam.

Oznajmiłam, że muszę wracać do domu i przygotować się do porodu. Kiedy ból znów się pojawił, zadzwoniłam do Corriego.

— Na razie nie ma powodu do paniki, ale wolałabym mieć koło siebie męża — powiedziałam. — Dam znać, co się dzieje. Teraz bóle pojawiają się mniej więcej co pół godziny.

Dojazd do domu zajął Lolly'emu jakieś trzydzieści minut, a ja przez ten czas się spakowałam. Powiedziałam mu, że Yvonne robi przyjęcie urodzinowe i powinniśmy na nim być. Przygotowałam się, wypiłam herbatę i zadzwoniłam do Corriego, żeby był w szpitalu około osiemnastej. Bóle powtarzały się co dziesięć minut, ale uważałam, że musimy być na przyjęciu. Zameldowaliśmy się w szpitalu i pojechaliśmy do Yvonne. Zażyczyłam sobie solę, ale nie chciało mi się jeść.

— Chyba powinniśmy ruszać — ponaglał Lolly niecierpliwie.

Przyjaciele, między innymi John Slade i Ken Momson, odprowadzili mnie do szpitala.

— Dość tych żartów! — żachnęła się pielęgniarka. — Który z nich jest pani mężem?

Mężczyźni wyparli się mnie, także Lolly. Myślę, że był bardzo zdenerwowany. Przy drzwiach ucałowałam na pożegnanie całe towarzystwo, pielęgniarka myślała, że sobie z niej żartuję. Odjechali, a ja weszłam do pokoju. Nie chciałam leżeć bezczynnie, więc pielęgniarki kazały mi sortować pranie i parzyć sobie kawę, zanim poród zacznie się na poważnie. Przyjechał Corrie i oświadczył, że za długo już się tam rządzę.

— Wielkie nieba! — wydusiłam z siebie, kiedy Ian zaczął się rodzić.

— Jeszcze długa droga — odparł na to Corrie.

Zadzwonił do Lolly'ego w środku nocy i oznajmił mu, że dziecko ma ręce Momsona, włosy Johna Slade'a, a pozostałe części ciała po innych facetach. Atmosfera była wesoła, nazajutrz rano w biurze uroczyście pito szampana. Każdy miał nadzieję, że dziecko w jakiś sposób jest do niego podobne.

Yvonne kierowała pracą biura; wydawało mi się, że wszystko idzie dobrze. Wpadłam w tryb matkowania i chętnie spotykałam się z przyjaciółkami, które także miały dzieci, żeby „porównać notatki". Wzięłam rozbrat z biurem, uważając, że wychowanie dziecka jest teraz moim priorytetem. Miałam wspaniałe przyjaciółki, a bycie matką i gospodynią domową bawiło mnie. Właśnie tego było mi wówczas trzeba.

Dziewięć miesięcy później znów zaszłam w ciążę. Bardzo wcześnie. Nie byłam z tego zadowolona. Martwiłam się o firmę i nie byłam psychicznie gotowa do kolejnej ciąży i porodu.

Motel, który kupiliśmy, zawsze miał dania *à la carte*. Sprowadzaliśmy śpiewaków i striptizerki, ciągle kręciło się tam wielu mężczyzn. Mały Ian musiał przywyknąć do gwaru. Kiedy zastępowałam kierownika w dni, które miał wolne, przywoziłam ze sobą Iana w koszyku. Od maleńkości jeździł z nami także na ryby nad Chobe. Nigdy nie ceregieliłam się z dziećmi.

Kupiliśmy domek w Serandellas nad Chobe; wyjazdy tam to była prawdziwa przygoda. Jechało się daleko, zwykle holowaliśmy za sobą łódkę. Domek stał po drugiej stronie rzeki, trzymaliśmy tam starego forda trucka. Po przeprawieniu się na drugi brzeg Lolly odprowadzał mnie do samochodu i otwierał drzwi. Zauważyłam, że robi się z niego prawdziwy dżentelmen, lecz rzeczywistą przyczyną jego grzeczności było to, że drzwi musiał zabezpieczyć przed wypadnięciem za pomocą sznura. Samochód nie miał hamulców. Pamiętam, że kiedyś na piaszczystej drodze pojawiła się ciężarówka Wenella. Trakt był wąski, a my nie mieliśmy hamulców, więc musieliśmy zjechać na bok. Wszyscy wiedzieli o naszej limuzynie! Ciężarówki należały do firmy z Kasane zajmującej się rekrutacją robotników do kopalń w Afryce Południowej.

Naszym sąsiadem nad rzeką był bardzo stary Szkot, Pop Lamont. Walczył przeciwko Burom po stronie brytyjskiej, ale stał się prawdziwym Południowoafrykańczykiem. W czasie wojny natomiast opowiedział się przeciwko Anglikom. Potem przez jakiś czas pracował w kopalniach w Barberton, a później jako *game ranger* w Parku Narodowym Krugera. Dowiedziawszy się o domkach na sprzedaż w Serandellas, kupił jeden z nich i sprowadził się do niego, by spędzić w nim resztę życia na emeryturze.

Pop nienawidził słoni, bo uprawiał pole kukurydzy, a słonie je tratowały. Nie miał karabinu, więc położył na ziemi trochę dynamitu i wysadził w powietrze słonia, który się tam zabłąkał. Przyjechaliśmy na weekend i z odległości kilku mil poczuliśmy straszliwy smród rozkładającego się cielska. Ścierwo leżało nieopodal naszego domu, pokryte larwami. To jednak nie powstrzymywało tubylców, którzy wycinali mięso i zabierali je do wioski.

Pewnego dnia stwierdziłam, że ponownie jestem w ciąży. Nie miałam żadnych problemów w domu, gdyż żyliśmy bardzo dobrze, w najlepszym kolonialnym stylu. Było wiele rąk do pomocy. Miałam kucharza, ogrodnika i osobę zajmującą się praniem.

Kiedy zaczęły się bóle porodowe, nie przejęłam się nimi za bardzo. Był Wielki Piątek, na wielkanocny weekend mieli przyjechać krewni i przyjaciele. Kupiłam wszystko, co było potrzebne. Dom był dobrze zaopatrzony, służący mogli się wszystkim zająć. Nie sądziłam, że moje bóle są zapowiedzią szybkiego porodu. Jednakże przed lunchem, gdy goście zaczęli się zjeżdżać, zwróciłam się do Lolly'ego:

— Zdaje mi się, że powinieneś mnie odwieźć do szpitala.

Oznajmiłam lekarzowi, że nie chcę spędzać w szpitalu zwyczajowych dziesięciu dni, a tylko cztery i dlatego po urodzeniu Chrisa szybko wróciłam do domu.

Jakoś w tym czasie zauważyłam, że Lolly chętnie gdzieś się wymyka. Mówił, że musi jeździć do motelu. Podejrzewałam, że coś się za tym kryje. Okazało się, że Lolly ma romans z Yvonne. Lubiłam Yvonne i pomogłam jej i jej trzem synom, kiedy mąż ją opuścił, więc zrobiło mi się bardzo przykro, że romansuje z moim mężem.

— Twój ojciec nie chciał naszego ślubu, a mimo to się pobraliśmy — oświadczyłam Lolly'emu. — Ciężko pracowaliśmy, żeby zbudować firmę. Nie możesz tak po prostu wszystkiego zepsuć. — Postawiłam mu ultimatum: — Musisz się zdecydować. Jeśli wybierzesz Yvonne, możesz odejść. Ale nie licz na to, że będziesz miał nas obie. Albo ona, albo ja.

Potrafię być bardzo twarda, kiedy trzeba podjąć ważną decyzję, i umiem to pokazać. Wychodzi ze mnie zesłańcze życie. Powiedziałam:

— Możesz się do niej wyprowadzić, jeśli tego pragniesz. Decyzja należy do ciebie, ale jeśli postanowisz zostać ze mną, w tej chwili zerwiesz z nią romans. Jutro musi odejść.

Nazajutrz rano zadzwoniłam do Yvonne i oznajmiłam, że ma zabrać wszystkie swoje rzeczy i odejść z biura. Nie było mowy o żadnej dyskusji.

To Odette, szwagierka Lolly'ego, przekonała mnie, żebym została z mężem. Podkreślała, że dzieci potrzebują obojga rodziców. Wiem, że wielu mężczyzn to wagabundy i że muszę to zaakceptować. Miałam firmę i dobre życie, i wciąż kochałam Lolly'ego. Musiałam po prostu z tym wszystkim się pogodzić.

Na szczęście Chris okazał się bardzo grzecznym dzieckiem. Mogłam pracować. Miałam głowę do interesów, Lolly zaś wykazywał zdolności techniczne. Stanowiliśmy dobry zespół. Po powrocie przeżyłam szok: firma była w rozsypce. Musiałam zaczynać wszystko od początku.

Smuciło mnie, że z powodu zdrady Lolly'ego musiałam wrócić do pracy, kiedy Chris miał zaledwie trzy miesiące. W ciągu kilku dni trzeba było przygotować dom do nowych warunków. Ian czuł się nieco zagubiony, to z pewnością był dla niego trudny okres. Przyjęłam panią Mathews do opieki nad chłopcami. Wtedy nie byłam świadoma tego, że pani Mathews faworyzuje Chrisa. Ktoś powiedział mi o tym dopiero po wielu latach. Bardzo kochałam synów i dawałam im wszystko, co mogłam. Nie zawsze było to łatwe, bo musiałam zajmować się domem i prowadzić firmę. Mimo to uważam, że mieli najwspanialsze życie, jakie można sobie

Pani Mathews, Ian i Chris

wymarzyć. Często pływali z ojcem łódką i wychowali się z krokodylami. W domu bywały zresztą nie tylko krokodyle, ale również węże i mnóstwo innych stworzeń, a wśród nich rozmaite owady. Moich synów otaczała miłość, wokół nich zawsze znajdowali się zacni ludzie. Dorastanie w Livingstone okazało się dla nich wspaniałym doświadczeniem wyniesionym z życia w pięknej, dzikiej i niezanieczyszczonej okolicy.

Livingstone było małą wioską; Ian wciąż pamięta weekendowe wycieczki na wyspy, jazdę na nartach wodnych, pływanie i łowienie ryb, a także rejsy motorówką. Wie, że mieszkał na przedmieściu w małym domku z ogrodem, jednak najmocniej utkwiło mu w pamięci to, że mógł bez żadnych ograniczeń wędrować wszędzie, gdzie zapragnął. Nigdy nie zapomni pierwszego dnia w szkole i swojego przyjaciela Andrego Stapy, chłopca angielsko-polskiego pochodzenia. To pierwsze zderzenie ze szkolną rzeczywistością nie należało do udanych. W istocie był to prawdopodobnie największy szok w króciutkim życiu Iana. Jednak przyjaciel nie opuścił go w potrzebie.

— Nie wolno ci się bać — powiedział.

Pocieszał go w trudnych chwilach, był wspaniałym kolegą. Później Andre przeprowadził się do Harare, które wówczas nosiło nazwę Salisbury. Został pilotem wojskowym, lecz kiedy Rodezja ogłosiła niepodległość, wstąpił do sił lotniczych Afryki Południowej i szkolił pilotów walczących w wojnie z Angolą. Niestety, wiele lat później Andre zaginął w Angoli. Był pilotem myśliwca, jego samolot został prawdopodobnie zestrzelony. Ian był już wtedy dorosły, lecz bardzo go to zasmuciło. Ja także czasem wspominam dawnych przyjaciół.

Pożar

Mieliśmy na rzece trzy duże łodzie, lecz zwykle korzystaliśmy tylko z dwóch. Pewnej niedzieli zjawiło się mnóstwo chętnych, więc potrzebowaliśmy dodatkowego środka transportu, żeby zorganizować im wycieczkę. Jedna z łodzi, rzadko używana, stała od dłuższego czasu unieruchomiona. Wodnopłatowce z Anglii lądowały na rzece Zambezi, przywożąc turystów, którzy chcieli zobaczyć Wodospady Wiktorii. Kiedy loty się zakończyły, Lolly kupił statek, którym przewożono pasażerów z samolotu na ląd i w drugą stronę. Był piękny, miał dno z miedzi i mógł pomieścić trzydzieści pięć osób.

Tego dnia, widząc, że zjawiło się wyjątkowo dużo chętnych, Lolly zadzwonił do mnie.

— Przyjedź i pomóż mi. Trzeba uruchomić trzecią łódź — powiedział.

Wzięłam chłopców i pojechałam nad rzekę. Weszliśmy na pokład i zaczęliśmy czyścić i ustawiać siedzenia. Nagle ktoś zawołał dzieci, żeby przyszły zobaczyć małego krokodyla. Moi synowie pełni ciekawości zbiegli na ląd, pragnąc obejrzeć coś tak niezwykłego. Tymczasem przyjaciel Lolly'ego, Van van Rensburg, próbował uruchomić silnik. Podłączył akumulator, przeskoczyła iskra. Łódź stojąca na brzegu od bardzo dawna i wypełniona oparami paliwa wyciekającymi z nieszczelnego zbiornika eksplodowała! Buchnęły płomienie, obejmując wszystko, co znajdowało się na pokładzie. Stało się to nagle, bez ostrzeżenia. Dzięki temu, że byłam na dziobie, najgorsze mnie ominęło. Chwała Bogu, dzieci kilka minut wcześniej zeszły z łodzi. Van miał dotkliwie poparzoną twarz, a mnie poparzyło nogi. Krwawiłam, lecz byłam w takim szoku, że nie od razu zauważyłam, iż jestem ranna. Vana i jego pomocnika trzeba było czym prędzej zawieźć do szpitala. Musiałam przeprosić ludzi, którzy przybyli na wycieczkę, a potem mnie także zabrano do lekarza.

Podsunięto mi wózek.

— Przecież mogę chodzić — oświadczyłam.

Nagle jednak okazało się, że przeceniłam swoje możliwości. Strasznie mnie bolało. Spędziłam w szpitalu dziesięć dni, a mężczyźni zostali jeszcze dłużej.

Rozkwit firmy

W ramach naszej firmy Lolly zajął się organizowaniem wycieczek do parku Wankie. Początkowo nie było tam żadnych jadłodajni, tylko obozowiska. To naprawdę cudowne naturalne miejsce, całkowicie nieskażone ludzką działalnością. Dostarczaniem prowiantu dla uczestników wycieczek zajmowaliśmy się sami — musieliśmy wszystko ze sobą wozić. Kiedyś zabraliśmy grupę, która miała zostać na noc do następnego dnia. Większość stanowili budowniczowie tamy Kariba, którzy nie wiedzieli, czym jest skromny posiłek. Nieświadoma tego spodziewałam się gości przywykłych do wytwornej kuchni i zgodnie z tym założeniem zaplanowałam wycieczkę. Zabrałam dziesięć bochenków chleba na śniadanie i trochę bułek na lunch. Swój błąd zrozumiałam już wieczorem, gdy wygłodniali robotnicy pochłonęli prawie całe pieczywo na kolację. Wzięłam też parę puszek brzoskwiń na deser, które miały wystarczyć dla całej grupy. Jeden z mężczyzn postawił przed sobą naczynie i pożarł wszystkie owoce! Nie mogłam w to uwierzyć, nigdy czegoś podobnego nie widziałam. Musiałam otworzyć następną puszkę. Pili dużo wina i nie przejmowali się wcale, jeśli któryś nakładał sobie więcej jedzenia niż inni. Postanowiłam użyć fortelu i zaczęłam podawać w małych naczyniach. W okolicy nie było sklepów, musiałam więc biegać po domach *game rangers*, błagając o chleb na śniadanie.

Bruce Austin, który zarządzał parkiem Wankie, zaprosił kiedyś delegację ministrów. Uznał, że w celu usprawnienia prac przy budowie tamy należy zrobić między innymi więcej odwiertów, chciał więc, by ministrowie sami ocenili zakres potrzeb. Poprosił, żebym zajęła się zaopatrzeniem podczas tej ważnej wizyty. Tak wpadłam na pomysł otwarcia tam restauracji. Zwróciłam się o oficjalne zezwolenie. Był to początek nowego etapu w naszym życiu. Umieściliśmy w rezerwacie dwa samochody i rozpoczęliśmy współpracę z liniami Central African Airways. Naszym zadaniem była obsługa naziemna i organizacja wycieczek dla pasażerów. Zaczęliśmy rozwijać skrzydła.

Uruchomiliśmy rejsy wycieczkowe po Zambezi o zachodzie słońca; uczestnicy mogli podziwiać piękne widoki, sącząc przy tym drinki. Chcieliśmy otworzyć bar na pokładzie, żeby obsługa była pełniejsza. Niestety, w komisji nadzorującej park Wodospadów Wiktorii znalazło się kilku urzędników, którzy odrzucili nasz wniosek. Wtedy zaczęliśmy prosić wszystkich pasażerów naszych jednostek o podpisywanie petycji. Zebraliśmy tysiąc podpisów. Odmówił tylko jeden turysta, gdyż picie alkoholu było sprzeczne z jego przekonaniami religijnymi. Przedstawiliśmy formularze komisji. Jej członkowie poszli po rozum do głowy i wydali nam koncesję. Teraz po rzece Zambezi pływa wiele łodzi z wyszynkiem.

Linie Central African Airways miały monopol na przyloty do Livingstone. Inna linia, Hunting Clan, chciała rozpocząć działalność. Ralf Miller, który był szefem tej firmy w naszym regionie, przyjechał do nas na kolację. Chciał nam coś zaproponować.

— Planuję zorganizować tańsze loty do Livingstone i chciałbym, żebyście zaplanowali wycieczki skorelowane z lotami — oznajmił. — Moglibyśmy także zaproponować współpracę hotelom i oferować turystom cały pakiet usług.

Zajęliśmy się tym wspólnie z Ralfem, nasze pomysły okazały się strzałem w dziesiątkę. Minęło sporo czasu, zanim zdołaliśmy rozpocząć działalność, ale sukces był ogromny. Później linia Hunting Clan sprzedała licencję liniom Central African Airways, które zaproponowały nam kontynuację wycieczek pod nazwą Flame Lilly Holidays. Przedsięwzięcie zrodzone w naszym saloniku zrobiło furorę. Wycieczki objęły Kenię, Tanganikę, Mozambik i Afrykę Południową.

Działaliśmy na tych terenach również wtedy, gdy powstała Federacja Rodezji i Niasy obejmująca Rodezję Południową i Północną oraz Niasę. To było fantastyczne, mogliśmy podróżować bez paszportów i dojeżdżać do Wodospadów Wiktorii bez kontroli celnej. Unia się nie utrzymała, ponieważ rząd brytyjski zamierzał dać niepodległość wszystkim tym krajom. Gdy federacja została rozwiązana, sir Roy Welensky i Ian Smith przybyli do Livingstone. Lolly zabrał całą grupę na wycieczkę po Zambezi, były koktajle i bankiet. Braliśmy w tym wszystkim udział, widzieliśmy narodziny i śmierć federacji.

Do tego czasu zdążyliśmy wykupić agencję turystyczną Sutherlands, mieliśmy sklep sportowy, trzydzieści samochodów, trzy łodzie pływające po Zambezi i Falls Motel. Rozwijaliśmy biznes w zawrotnym tempie. Lolly dużo polował; było to opłacalne, lecz wiązało się z tym, że mój mąż wyjeżdżał z domu nawet na miesiąc, często w towarzystwie Janusza.

Janusz żegna się z Livingstone

Mojemu bratu, który wtedy jeszcze mieszkał w Livingstone, nigdy nie brakowało nowych pomysłów. Postanowił zbudować mieszkanie na łodzi. Konstrukcja, wyglądająca jak pływająca platforma pokryta strzechą, była stalowa, ale przypominała mały domek. Mieściły się tam barek i wielkie łóżko, wnętrze było urządzone ze smakiem. Chatka stała na rzece powyżej wodospadu, w niewielkiej odległości od niego. Żeby się do niej dostać, trzeba było przepłynąć przez niebezpieczne katarakty, toteż niewielu ludzi ważyło się zrobić to na własną rękę. Jeździliśmy tam na przyjęcia i lunche z dużą ilością spaghetti, ale to było miejsce Janusza, nigdy tam nie spaliśmy. Wielkie łoże miał wyłącznie do swojej dyspozycji!

Jakiś czas po tym, jak Janusz zbudował łódź, Stewart Campbell opowiedział mu o pewnym Południowoafrykańczyku, który został aresztowany w Lusace prawdopodobnie za zgwałcenie nieletniego dziecka. Oskarżenie zostało mocno nagłośnione, gdyż mężczyzna, jak sądzono, był szpiegiem. Stewart zapytał, czy Janusz zechciałby pomóc temu człowiekowi wydostać się z kraju. Mój brat wyruszył do Lusaki i przybył tam bardzo wcześnie rano. Wobec podejrzanego zastosowano areszt domowy. Janusz zdołał wywieźć go na swoją łódź, gdzie ów mężczyzna przebywał przez trzy dni. W tym czasie Stewart załatwił z rządem południowoafrykańskim i rodezyjskimi celnikami sprawę przerzutu uratowanego do Rodezji. Miał się tym zająć mój brat. Za tę przysługę Janusz otrzymał pięćset funtów — w tamtych czasach była to doprawdy zawrotna suma.

Skoro już wspominam Livingstone, powinnam opowiedzieć o niesławnym pożegnaniu mojego brata z tym miastem leżącym wówczas na terytorium Zambii. Wraz ze zmianą nazwy Rodezja Północna na Zambia opuszczono wszystkie flagi brytyjskie i wciągnięto nowe, zambijskie. Zorganizowano liczne uroczystości dla uczczenia tego pamiętnego dnia. Jedną z flag zawieszono nad miejscową komendą policji. W odruchu lojalności wobec starego reżimu — a może ze zwykłej przewrotności — Janusz opuścił flagę zambijską i wciągnął Union Jacka. Rzecz jasna, ten straszny czyn został popełniony pod osłoną nocy. Kenneth Kaunda wyraził wielkie oburzenie przez radio i zapowiedział, że jeśli sprawca zbezczeszczenia nowego symbolu narodowego zostanie ujęty, spotka go to samo co flagę. Janusz opowiedział wielu ludziom o swoim wyczynie, a że niejeden z nich chętnie ujrzałby go dyndającego na maszcie, mój brat spakował manatki, wrzucił je do kabrioletu i wyruszył do Johannesburga. Zostawił jednak sporą sumę pieniędzy w banku w Livingstone. Miesiąc później wrócił, bo potrzebował gotówki.

Dotarłszy do granicy zambijskiej, Janusz się zorientował, że jest poszukiwany. Kiedy celnik zabrał mu paszport i schował w biurku, był pewny, że wpadł w tarapaty. Urzędnicy pozwolili mu wjechać do Zambii bez paszportu, wyjaśniając, że oddadzą go w drodze powrotnej, kiedy będzie przechodził przez posterunek.

Mój brat skontaktował się ze znajomą pracującą w banku, a ta zdołała odebrać pieniądze. Później zadzwonił do przyjaciela mieszkającego po rodezyjskiej * stronie granicy w Victoria Falls i zapytał, czy jest możliwość odzyskania paszportu. Wykombinowali, że kiedy Janusz znajdzie się na zambijskim posterunku służby celnej, jego przyjaciel wśliźnie się do środka i wydobędzie dokument z miejsca, w którym został schowany. Mój brat liczył na charakterystyczną nieudolność celników oraz na to, że nie rozpoczęli żadnych działań zmierzających do zatrzymania go. Gdy poprosił o swój paszport, potwierdziło się, że nic nie zrobili. W pośpiechu — a nawet w panice — spróbowali skontaktować się z policją. Janusz zaczął krzyczeć i gestykulować, chcąc zwrócić uwagę celników na siebie, odciągając ją jednocześnie od przyjaciela, który miał odzyskać kłopotliwy dokument. Na szczęście celnicy zapomnieli podstemplować paszport, kiedy go konfiskowali. Spostrzegłszy, że kolega zdobył dokument, Janusz wyskoczył z posterunku i wrócił do Livingstone. Stamtąd przepłynął łodzią do Victoria Falls, gdzie przyjaciel czekał z paszportem. Czekali na niego także rodezyjscy urzędnicy. Zapytali Janusza, czy był w Livingstone, a on zaprzeczył. Zobaczyli, że w dokumencie nie ma stempla, i choć podejrzewali, że przekroczył granicę, nie mogli niczego udowodnić. Janusz wrócił do Johannesburga.

Dostał zakaz wjazdu do Zambii, więc kupiłam od niego łódź mieszkalną. Nieco później zostaliśmy oskarżeni o wysyłanie z łodzi sygnałów do Rodezyjczyków, co było nonsensem o podłożu politycznym. Wydaje mi się, że podarowałam komuś łódź, a później my także wyjechaliśmy z Livingstone.

---

* Rodezja Południowa w latach 1964—1980 pod nazwą Rodezja

Refleksje

Poznaliśmy w Livingstone wiele ciekawych osób. Większość była wspaniałymi ludźmi, ale niektórzy sprawili mi niemało kłopotów. Spędziliśmy w Livingstone osiemnaście lat, lecz po rozpadzie federacji stwierdziliśmy, że czas poszukać sobie nowego miejsca.

Wspominając ten okres, często się zastanawiam, co czuł mój brat na myśl o mamie i o mnie, kiedy popełniał rozmaite głupstwa. Zawsze twierdzi, że bardzo kocha rodzinę i że pamięta wszystko, co przeszliśmy. Mama była dla niego aniołem, za to ja przez cały czas traktowałam go jak małego chłopca — tak przynajmniej uważał. Nasza mama nie zawsze wiedziała, co Janusz wyprawia, bo chroniłam ją przed tą świadomością. Dopiero po latach mój brat wyraził żal z powodu tego, co uczynił rodzicom.

— Skrzywdziłem rodzinę, unieszczęśliwiałem kobiety, a jako dorosły mężczyzna także siebie. Ale takie jest życie, byłem głupi — przyznaje.

Uważam, że moi synowie mieli spokojne dzieciństwo w Livingstone. Nie bawili się przy radiu i muzyce, ale za to pływali motorówkami, jeździli na nartach wodnych, cieszyli się komfortem i luksusem typowym dla kolonialnego stylu życia.

Dzieci wniosły także wiele radości w życie mojego ojca. Wybraliśmy się kiedyś do cyrku. Chłopcy byli rozradowani; śmiali się zwłaszcza z szympansa. Ojciec nie patrzył na zwierzęta, przyglądał się rozentuzjazmowanym wnukom. Pokochał Afrykę. Gdy przybył do Livingstone, nie znał angielskiego, więc popołudniami dawałam mu lekcje. Tylu rzeczy żałuję, czasem myślę, że powinnam była zrobić więcej dla ojca.

Pewnego dnia tata poczuł się źle, narzekał na zgagę. Ból nie ustępował, zatem wezwałam lekarza. Doktor stwierdził, że dolegliwości mogą być groźne. Zamówiłam prywatny samolot na popołudniowy lot do Bulawayo, gdyż tam właśnie znajdował się najbliższy nowoczesny szpital. Lekarz zasugerował, żeby do czasu odlotu tatuś spokojnie odpoczywał. W czasie lunchu przyszła do mnie mama. Nic nie powiedziała, ale domyśliłam się smutnej prawdy. Po wejściu do ich mieszkania zorientowałam się, że ojciec nie żyje. Zrobiło mi się przeraźliwie smutno. Po osiemnastu latach rozłąki spędziliśmy ze sobą tylko cztery lata. Pochowaliśmy go w Livingstone. Po latach wróciliśmy tam, żeby odszukać grób, lecz niestety, w miejscu jego spoczynku pogrzebano innych ludzi. Tabliczkę znaleźliśmy na środku ścieżki. Jego szczątki muszą tam pozostać, natomiast mama spoczywa w Nelspruit. Ich dusze zawsze będą przy nas. Człowiek jest tak bardzo zaabsorbowany własnym życiem. Żałujemy, lecz gdyby czas się cofnął, postępowalibyśmy chyba tak samo. Powinniśmy spędzać więcej czasu z rodziną. Przebywałam z tatą pół godziny każdego dnia, ale to było bardzo mało. Jedno pamiętam: kiedy był z wnukami, wyglądał na szczęśliwego człowieka. Myślę, że i tak mi się poszczęściło. Wielu ludzi nie dostaje nawet tych czterech lat, które nam były dane.

W młodym wieku szukamy szczęścia. Wszyscy do niego dążymy, staramy się wspiąć na sam szczyt. Gdy jednak człowiek się starzeje i wraca myślą do przeszłości, zawsze ogarnia go żal. Mam wyrzuty sumienia z powodu mamy, dla niej również mogłam zrobić znacznie więcej. Teraz doceniam to, co uczyniła dla mnie. Dzieci są egoistyczne, nie myślą o innych. Kiedy wchodzimy w związek małżeński i budujemy swoje życie, nie mamy czasu myśleć o rodzicach. Dziś, kiedy jestem starsza, rozumiem, przez co musiała przejść moja mama. Wydaje mi się, że każdy człowiek, wracając myślą do przeszłości, czegoś w życiu żałuje, coś chciałby naprawić.

CZĘŚĆ 3

Siedlisko w Chobe (Botswana)

1963–1980

Pożegnanie z Livingstone

Przed wyprowadzką z Livingstone jeździliśmy do Chobe na weekendy. Mieliśmy domek w Serandellas, lubiliśmy dzikość i urodę tego miejsca. Pięć domków stojących nad rzeką należało do tartaku Serandellas. Kiedy wystawiono je na sprzedaż, poszczęściło się nam i kupiliśmy jeden z nich. Pewnego razu wstąpiliśmy po drodze do hotelu Chobe, żeby się czegoś napić. Protektorat Beczuana, obecnie niepodległe państwo Botswana, nie był wówczas nastawiony na turystykę. Hotel Chobe stanowił oazę na ogromnym dzikim terytorium. Zbudowali go Charles i Ethnee Holmes à Court. Zaczęli od postawienia skromnej przyczepy turystycznej na brzegu rzeki Chobe i dzięki ogromnej determinacji zbudowali hotel. Przez długi czas był to jedyny punkt obsługi turystów na tym terenie. W czasie jednego z pierwszych safari pan Holmes à Court wypłynął z dwiema paniami z Kapsztadu na połów ryb. Nagle zaatakował ich rój pszczół. Jedna z kobiet krzyknęła:

— O Boże! Mam uczulenie na pszczoły!

Próbując je ratować, Charles polecił im, aby nie bacząc na

pływające w rzece krokodyle, od razu zanurzyły się w wodzie. Niestety, zanim sam skoczył, został dotkliwie pokąsany i spuchł. Czym prędzej przewieziono go do szpitala w Bulawayo, ale nie przeżył. Ethnee Holmes à Court została w buszu sama. Nie było tam przyzwoitych dróg, więc żyła prawie odizolowana od świata. Podziwiam dzieło tych dwojga dzielnych ludzi i hart ducha kobiety, która nie poddała się po śmierci męża. Miała dwóch synów. Kiedy się poznałyśmy, jeden z nich mieszkał w Australii. Nie było mi dane poznać drugiego — zginął w tragicznych i tajemniczych okolicznościach w lesie Tsitsikama na Przylądku Dobrej Nadziei. Starszy syn odwiedził rodziców, kiedy rozpoczynali działalność turystyczną, lecz nie wyobrażał sobie życia w odludnym buszu. Wyjechał do Australii, został adwokatem, a później pierwszym miliarderem i jednym z najbogatszych ludzi w tym kraju. Miał nawet wyspę i zajął się hodowlą koni wyścigowych. Ethnee wyjechała w końcu do niego do Australii. Wydaje mi się, że ma teraz ponad dziewięćdziesiąt lat i wciąż żyje w Perth.

Pewnego dnia w Chobe przywitała nas roztrzęsiona. Od jakiegoś czasu próbowała sprzedać hotel i znalazła potencjalnego kupca, ale odniosła wrażenie, że transakcja nie dojdzie do skutku.

— Lolly, Lolly! — zawołała na nasz widok. — Muszę sprzedać tę budę. Wyjeżdżam do syna do Australii, mam już bilet na samolot, a facet, który miał kupić hotel, wycofał się. Nie kupiłbyś mojego hotelu? Proszę cię.

— A po co nam hotel? — odparł nieco zaskoczony Lolly.

— Jesteśmy z przyjaciółmi — dodałam trochę żartem. — Może odwiedziłabyś nas jutro rano, moglibyśmy pogadać o tej sprawie.

Nasz domek znajdował się zaledwie siedem mil od hotelu, więc zaproszenie nie było niczym zaskakującym.

Nazajutrz rano rozległo się pukanie do drzwi i stanęła w nich Ethnee ze swoim adwokatem.

— Przyjechałam w nadziei, że zdołamy was przekonać do zakupu mojego hotelu — oznajmiła.

Zgodziliśmy się z Lollym na zakup hotelu pod wpływem impulsu, w jednej chwili. Nie mieliśmy pojęcia, w co się pakujemy. Jak zawsze uważaliśmy, że Bóg ma dla nas plan na życie. Podpisaliśmy umowę z Ethnee.

Po powrocie do Livingstone zwróciliśmy się z prośbą do matki Lolly'ego, która przyjechała do nas z Lusaki, żeby nam pomogła, dopóki nie wyznaczymy kierownika hotelu.

— Mamo, chcemy, żebyś obejrzała hotel w Chobe i go poprowadziła, a my w tym czasie obmyślimy plany na przyszłość.

Kupując hotel, nie wiedzieliśmy, że sytuacja w Rodezji Północnej się pogarsza i że będziemy potrzebowali bezpiecznej przystani, w której można się schronić. Wspaniale się złożyło, że znaleźliśmy takie miejsce.

W tym czasie uczęszczałam na kurs agentów podróży w Salisbury. Po powrocie do Livingstone pojechałam go ukończyć. Wróciwszy do domu, usłyszałam od Lolly'ego, że połowa mieszkańców Livingstone wyjechała, gdyż zanosi się na zamieszki. Twierdził, że my też powinniśmy poczynić odpowiednie przygotowania, póki jest na to czas. Wtedy wysłałam telegram.

Od pewnego czasu firma o nazwie United Touring Company, należąca do British Transport, składała propozycje wykupu naszej firmy, ale nie mieliśmy zamiaru pozbywać się interesu. Touring Company specjalizowała się w organizacji ekskluzywnych wycieczek do Kenii i innych krajów afrykańskich. Jej działalność nie ograniczała się zresztą wyłącznie do terenu Afryki.

Mój telegram brzmiał: „Firma na sprzedaż!”. Błyskawicznie otrzymałam odpowiedź o treści: „Będziemy za trzy dni”.

Kontrahenci wykupili już wcześniej agencję w Salisbury o nazwie Overland Tours. Chcieli, żeby jej poprzedni właściciel, Willy Seeman, prowadził ją dalej razem z naszą firmą. Przedstawiciel United Touring Company poprosił mnie, żebym jeszcze została przez rok i kierowała oddziałami w Livingstone, Victoria Falls i Wankie, a więc Lolly musiał jechać do Chobe sam. Niestety, tak się złożyło, że nie zgadzałam się z panem Seemanem. Usiłował narzucić swoje metody prowadzenia firmy, sprzeczne z tymi, które my uważaliśmy za sprawdzone. Nasze interesy szły doskonale i nie widziałam sensu zmian. Seeman podniósł ceny i za bardzo się wtrącał. Wcale mi się to nie podobało.

Zatelefonowałam do niego i oznajmiłam:

— Nie mogę z panem dłużej pracować, odchodzę.

Później zadzwoniłam do Londynu.

— Naprawdę chcę odejść — powiedziałam. — Wiem, że podpisałam umowę na rok, ale minęło pół, a ja mam już dość.

Poprosili mnie, żebym przygotowała kogoś do pracy na moim stanowisku, co też zrobiłam. Zaprosili mnie na kolację i w przyjemnej atmosferze w hotelu Victoria Falls rozstaliśmy się. Wyjechałam do Chobe. Hotel Chobe przemianowaliśmy na Chobe Safari Lodge. Ta nazwa sprawiła, że nasz ośrodek zrobił wielką karierę i wciąż istnieje.

la – Durban, lata 60-te

– Wodospady Wiktorii, lata 50-te

Ala na pierwszym safari z Lollym i jego matką

Łódka „Alina"

Ala – Livingstone, ok. 1962

Rodzina Sussensów z pytonem, ok. 1940

Wesołe czasy w Livingstone

Ala, Ian i Chris – Chobe

Lolly na polowaniu

Ślub Faganów

ʀodzina Sussensów – komunia Jessiki i Richarda

Ross z żoną Sandy, 2008

a z Savanną

Szef kuchni w Tshukudu

Ala i Lolly, 2008

Savanna na werandzie, 2003

Ala ze słoniem, 2008

Tshukudu, 2008

Tshukudu, 2008

Savanna na parkingu, 2003

Ala i John, 2003

jmanie nosorożca do zoo – Tshukudu, 2003

ZWIERZĘTA

TSHUKUDU

Życie w Chobe

Jednym z naszych największych problemów była edukacja synów. Przed przeprowadzką do Chobe chodzili do przyklasztornej szkoły w Livingstone. Kiedy się wyprowadziłam, postanowiliśmy, że zostaną z moją mamą do końca roku. Ian dobrze wspomina ten okres, gdyż kochająca babcia go rozpieszczała. Wyjechałam w maju, a oni zostali w Livingstone do grudnia. Byli jeszcze bardzo mali, Chris miał sześć lat, a Ian był o półtora roku starszy.

W Chobe mieliśmy mnóstwo zajęć, wiele rzeczy wymagało dopracowania. Ethnee i jej mąż mieli doskonałe pomysły. Hotel miał osiemnaście pokoi, wszystkie z widokiem na rzekę. To niewiarygodnej urody miejsce wyglądało jak istny raj na ziemi. Teraz się zmieniło, jest zatłoczone i stratowane przez turystów. Jeśli lew upoluje jakieś zwierzę, samochody ustawiają się w kolejkach; przybysze tłoczą się, żeby to zobaczyć i zrobić sobie zdjęcie, które przyniesie im „sławę". Odwiedziliśmy Chobe, ale to już nie było dawne siedlisko.

Nasze lodge w Chobe

Kiedy na serio zabraliśmy się do pracy, interes ruszył z miejsca. Dzięki Flame Lilly Holidays mieliśmy wiele kontaktów i szybko dołączyliśmy Chobe do programu wycieczek. Ściągnęłam agentów biur podróży z Afryki Południowej, aby pokazać im nasz rajski zakątek. Opłaciło się.

Nie obyło się bez problemów. Po wyjeździe Ethnee hotelem przez jakiś czas kierowała matka Lolly'ego, a później zatrudniliśmy kierownika Polaka. Okazało się jednak, że nie nadawał się do tak odpowiedzialnej pracy. Prowadziliśmy nie tylko hotel, ale również trzy sklepy. Jeden znajdował się w Kasane, drugi w Panda Matanga, a trzeci w Kachikau, które było wówczas małą wioską przy drodze do Katimo Mulilo. Zawiadywaliśmy także mostem pontonowym łączącym Zambię z Beczuaną. Wśród naszych klientów byli południowoafrykańscy policjanci z Katimo Mulilo po drugiej stronie rzeki oraz wszyscy, którzy przejeżdżali tamtędy w celach handlowych. Samochody wiozące ludzi i zaopatrzenie do Victoria Falls musiały przejeżdżać przez Chobe, a kierowcy zwykle wstępowali, żeby się u nas napić. Czasem posterunki graniczne były zamykane i wtedy musieliśmy zapewniać nocleg kierowcom i podróżnym. Pamiętam, że niektórzy spali w holu albo tam, gdzie znaleźli wolne miejsce.

Nieopodal rósł baobab, drzewo o historycznym znaczeniu: w tym miejscu zbiegały się granice czterech krajów. Po drugiej stronie rzeki zaczynała się Rodezja Północna, przebiegała tamtędy granica Beczuany, Rodezji Południowej i Caprivi (Afryka Południowo-Zachodnia)*. Według legendy pod drzewem rozbił obóz sam David Livingstone.

Jeśli chodzi o politykę, nigdy nie można było narzekać na nudę. Żyło się niczym w kraju z powieści Johna Le Carré, rojącym się od międzynarodowych intryg. Zanim Rodezja Południowa stała się Zimbabwe, rozwinął się silny antagonizm między tym państwem a Zambią, toteż często przybywali do nas lotnicy i szpiedzy z Zambii, żeby się czymś posilić. Południowi Rodezyjczycy przyjeżdżali „łowić ryby", Południowoafrykańczycy też usiłowali zdobywać informacje. Wszyscy spotykali się w pubie i próbowali wybadać, co się dzieje na drugim brzegu rzeki. Mogli się tam dostać tylko pontonem. Nocami w naszym pubie wiele się działo.

Ośrodek znajdował się w wiosce Kasane, przepięknym miejscu, nieskażonym ludzką działalnością. Na polowanie można było się wybrać tylko samochodem Lolly'ego, a zwierzyny nie brakowało: stada słoni, bawołów i lwów, piękne jelenie, występujące tylko tam: sitatunga, puku i buszboki. Nie wszystkie jednak żyły w naszym bezpośrednim sąsiedztwie. Turyści przybywali zewsząd, by zobaczyć jelenie i ogromne stada słoni przekraczające rzekę.

* obecnie: Zambii, Botswany, Zimbabwe i pasu Caprivi należącego do Namibii, która do roku 1968 nosiła nazwę Afryki Południowo-Zachodniej

Można je było podziwiać z werandy naszego schroniska. Lolly wiedział o słoniach bardzo dużo, ale potrafił być przekorny.

— Byłem w tamtym okresie jedynym kierowcą wożącym turystów do miejsc, w których mogli obserwować zwierzęta — opowiada Lolly. — Pewnego dnia wwiozłem grupę w sam środek stada słoni i wyłączyłem zapłon. Jakaś dama odwróciła się i zobaczyła, że słoń ma zamiar pchać samochód od tyłu. Zemdlała, więc wylałem na nią wiaderko wody. Kiedy się ocknęła, była na mnie oburzona, bo tuż przed wycieczką zrobiła sobie fryzurę!

Innym znów razem, gdy słonie otoczyły samochód, Lolly poczuł, że na jego kolanach wylądował portfel z pieniędzmi.

— Jedźmy, proszę! — odezwał się ktoś pokornym tonem.

Lolly ruszył. Później zwrócił portfel z nietkniętą zawartością! Mój mąż w ogóle nie bał się zwierząt. Szczęśliwie nikt nigdy nie został poturbowany.

Pewnego razu zabrał ze sobą na wycieczkę Chrisa, który miał wtedy mniej więcej sześć lat. Samochód wpadł w poślizg i przewrócił się, akurat kiedy Lolly wjechał na trop słonia. Chris na szczęście wyskoczył z auta i nic mu się nie stało. Nikt nie został ranny, wóz udało się postawić na kołach. Lolly i Chris mieli ze sobą termosy z herbatą, usiedli na aucie, żeby się napić i uspokoić nerwy. Mój syn był z siebie bardzo zadowolony, powtarzał:

— Tato, ja prawie zginąłem.

W drodze powrotnej do schroniska natrafili na zakrwawione ciała dwóch bawołów, a nieco dalej na dwa lwy — jednego zabitego i drugiego ciężko rannego. Od razu zawiadomili o rannym lwie Pata Hepburna, który pracował jako *game warden**. Pat

---

* odpowiednik gajowego

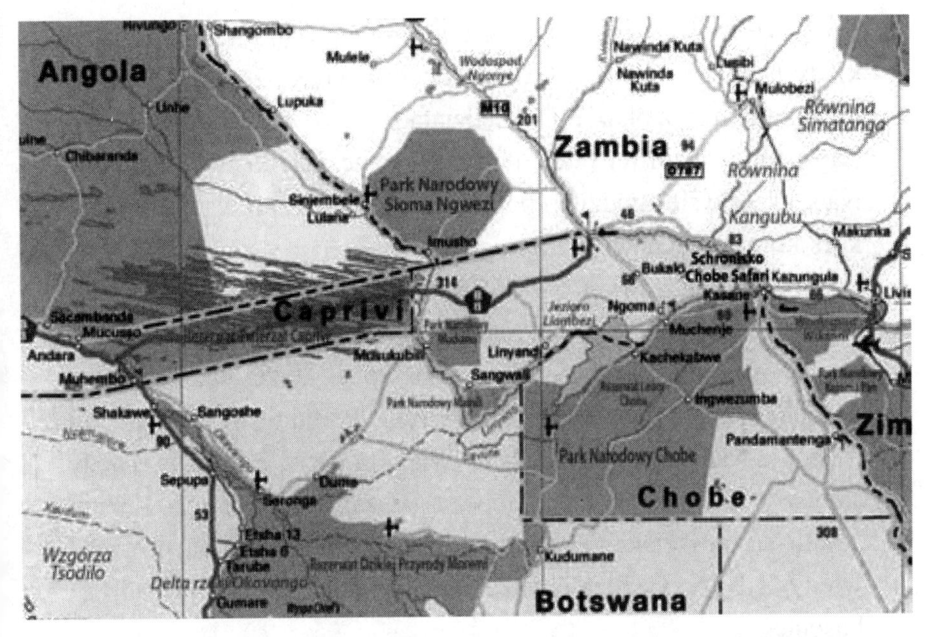

Współczesna mapa regionu Chobe pokazująca miejsce, w którym stykają się granice Zambii, Zimbabwe, Botswany i Caprivi należącego do Namibii

odszukał zwierzę i skrócił jego cierpienie, lecz po bawołach nie było śladu. Nazajutrz przywiózł nam skóry obu lwów. Kazaliśmy mu zatrzymać je dla siebie.

Chłopcy chodzili do szkoły w Livingstone, ale przyjeżdżali do Chobe na wakacje. Mieli tam swobodę i przygody, chcieli, żeby tak było zawsze. Po zakończeniu roku szkolnego w klasztorze zamieszkali z nami w Chobe na stałe. Kiedy jeszcze byli w Livingstone, zawitała do nas Anne Hutchinson, młoda Amerykanka poszukująca pracy. Zapytałam ją o zawód, a ona odparła, że jest nauczycielką. Nie pomyślawszy o swoich synach, powiedziałam, że przykro mi, ale nie mam dla niej posady. Pojechała do Salisbury i zaczęła uczyć w szkole w Kariba. Mniej więcej miesiąc później, kiedy usilnie myślałam o wykształceniu synów, zrozumiałam, że przegapiłam taką okazję. Dowiedziałam się, że Anne jest w Kariba. Zaproponowałam jej pracę domowej nauczycielki moich synów. Na szczęście się zgodziła i pomagała chłopcom, prowadząc z nimi kurs korespondencyjny.

Chris i Ian zawsze uważali, że były to najwspanialsze lata w ich życiu. To była ich najlepsza „szkoła" i mogli z nami podróżować, gdyż zabieraliśmy ze sobą także nauczycielkę. Pojechaliśmy na wakacje do Afryki Południowo-Zachodniej (obecnie Namibia), zwiedziliśmy większą część Beczuany. Kiedy Janusz odwiedzał nas w Chobe, ogłaszaliśmy wakacje. Ilekroć działo się coś ciekawego, lekcje były zawieszane. Na przykład wtedy, gdy przyjeżdżali ważni goście albo gdy koń wpadł do basenu.

Gypsy, nasz koń alkoholik, stanowił świetny powód do przerwania zajęć. Jego nieodparta skłonność do napojów wyskokowych sprawiła, że zerwał kiedyś wieko z dwustulitrowej beczki i pochłonął jej wysokoprocentową zawartość. Żłopał i żłopał, nawet kiedy mógł już tylko klęczeć. Był tak zalany, że z trudem doczłapał się do schroniska. Kiedy znalazł się przed bramą, zataczał się od słupka do słupka, nie mogąc w nią trafić. Często w stanie wskazującym na znaczne spożycie wpadał do basenu przed schroniskiem, a później robił mnóstwo zamieszania, kiedy usiłowaliśmy go stamtąd wydostać. Wszyscy pędzili mu na pomoc. Na koniec odstawiano go wozem na posterunek policji. Policjanci zbudowali dla niego specjalną zagrodę i trzymali tam, dopóki nie wytrzeźwiał. Musieliśmy wpłacać kaucję, żeby go wykupić.

Nie lubił, kiedy dosiadali go obcy. Tolerował Chrisa, Iana i Sandrę Haylock, gdy była ze swoimi rodzicami Tonym i Mavis, którzy kręcili film o dzikich zwierzętach, ale nikt inny nie mógł na nim jeździć. Pewnego razu zawadiaka o pseudonimie Tiger, który zatrzymał się w schronisku, zapytał, czy może pojeździć konno. Ostrzegłam go, że wierzchowiec jest bardzo narowisty i lubi zrzucać jeźdźców. Naprawdę nie chciałam, żeby mój gość skręcił sobie kark.

— Umiem obchodzić się z końmi! — odparł pewny siebie kowboj.

Gypsy był diabelnie sprytny! Mieliśmy dół na butelki, których nie przyjmowano do zwrotu. Ze względów bezpieczeństwa znajdował się w sporej odległości od schroniska. Nieustraszony Tiger dosiadł Gypsy'ego. Ogier wygiął kark w pałąk i zakręcił się, próbując bezskutecznie zrzucić jeźdźca. W pewnym momencie zdawało się, że go zaakceptował, i Tiger się odprężył przekonany o swoim zwycięstwie nad zwierzęciem. Nagle, gdy znaleźli się obok dołu z butelkami, Gypsy wierzgnął i Tiger pofrunął prosto do dołu. Później przykuśtykał do schroniska, trzymając się za siedzenie.

Bywało, że Gypsy potulnie czekał, aż jeździec go dosiądzie, i ruszał w kierunku słupów granicznych znajdujących się w odległości około siedmiu mil. Zachowywał się nienagannie przez całą drogę, lecz zbliżywszy się do granicy, nagle hamował, bezceremonialnie zrzucając jeźdźca na ziemię, a potem odwracał się i galopował do domu bez obciążenia. Wściekły jeździec wracał na piechotę, zaklinając się, że nigdy więcej nie wsiądzie na konia.

Krnąbrny ogier miał w zanadrzu wiele sztuczek, robił wszystko, byleby tylko pozbyć się jeźdźca. Galopował po zboczu w stronę ogromnej kraty stojącej nieopodal schroniska i raptownie się zatrzymywał, dając jeźdźcowi okazję bliskiego zapoznania się z kolczastymi różami. Pewnie ci, którzy zostali przez niego w ten sposób potraktowani, nie chwalili się tym przed znajomymi. Gypsy wykonał ten manewr kilka razy. Co to był za koń! Kiedyś przybyli do nas goście bardzo eleganckim samochodem ze skórzaną tapicerką, co w tamtych czasach stanowiło rzadkość. Zostawili okna otwarte, żeby efektowne wnętrze nie przesiąkło wonią prowiantu. Samochód stał niedaleko kortu tenisowego, na którym trzymaliśmy beczkę z melasą, używaną do jego utrzymania. Gypsy znalazł beczkę, a że przepadał za słodkościami, zaczął długim językiem wygarniać zawartość. Nagle poczuł zapach smakołyków dolatujący z wnętrza auta. Z pyskiem ociekającym słodką mazią przeszedł spokojnie na parking i przez otwarte okno poczęstował się jedzeniem. Piękne obicia z białej skóry pokryły się lepką mazią!

Ian pomagał nam, zabierając gości na połów ryb w rzece i na zwiedzanie. Robił to, gdy Lolly był zbyt zajęty albo gdy nie czuł się dobrze. Miał wtedy zaledwie osiem lat, więc chodził na te wycieczki w towarzystwie miejscowego przewodnika, żeby na pokładzie był ktoś dorosły. Pewnego razu — wydaje mi się, że był z nim wtedy Lolly — hipopotam złapał paszczą za śrubę motorówki, a kiedy indziej wbił zęby w burtę. Na szczęście łódź się nie przewróciła.

W Kasane jest teraz około dwudziestu, może trzydziestu hoteli i schronisk. Kiedy tam mieszkaliśmy, większość mieszkańców pracowała dla policji, administracji albo dla nas. Teraz to spore miasteczko.

Za naszych czasów żyło tam bardzo mało ludzi; zdawało się, że cała rzeka należy do nas. Nie było publicznych dróg, toteż mieliśmy wrażenie, że nawet wielki rezerwat zwierząt jest wyłącznie do naszej dyspozycji! Tylko Lolly zabierał tam turystów na wycieczki.

— Dzięki wyprawom taty na krokodyle w Livingstone poznaliśmy dobrze rzekę, wiedzieliśmy, jak spływać po kataraktach w miejscu, w którym zlewają się wody Chobe i Zambezi — wspomina Ian. — Połowy były niewiarygodne. Pewnego dnia wybraliśmy się na ryby z kuzynem i w ciągu godziny złowiliśmy przeszło sto sztuk. Nasza łódź wyglądała jak ogromna siatka pełna ryb. To był istny róg obfitości.

Wędkowanie stanowiło wielką atrakcję dla naszych gości. Ławice ryb tygrysich i leszczy były tak ogromne, że nawet nowicjusz nie wracał z połowu z pustymi rękami.

Lolly zapoczątkował wycieczki safari do Savuti, miejsca leżącego między Kasane a Maun, na południe od naszego schroniska. Savuti odbijała od rzeki Kwando i wpadała na mokradła Savuti. Była piękną rzeką o krystalicznie czystej wodzie, z jej koryta sterczały potężne drzewa liczące co najmniej pięćdziesiąt lat. Prawdopodobnie przestała płynąć dawno temu i drzewa wyrosły tam, gdzie toczyła niegdyś swój nurt. Potem nadeszły deszcze i rzeka znów wezbrała. Wszystkie drzewa znalazły się w wodzie. Lolly utworzył szlaki z dróg w regionie Savuti, który w istocie należał do Parku Narodowego Chobe.

Ian pamięta pewne zdarzenie, do którego doszło w Savuti.

— Jakiś mężczyzna płynął łodzią w górę rzeki, uderzył w podwodny pień i stracił śrubę. Części zamiennych było jak na lekarstwo, więc wskoczyliśmy do rzeki, żeby odnaleźć śrubę. Nagle z wody pomiędzy nami a łodzią wynurzył się hipcio, musieliśmy mocno przebierać nogami, żeby się uratować. Jakiś czas później ten sam turysta został ugryziony przez hipopotama i spędził kilka miesięcy w szpitalu. Niektórzy bezsensownie ryzykują!

W porze deszczowej rzeki Zambezi i Chobe zalewały teren przed schroniskiem. Całe wioski stawały w wodzie, trzeba było prowadzić śmiałe akcje ratunkowe. Kiedyś powódź zaczęła się niespodziewanie, Lolly i Pop Lamont musieli wywieźć około pięciuset osób z zalanych terenów do Serandellas. Naszemu ośrodkowi nie groziło zalanie, gdyż został zbudowany na wysokim brzegu ponad linią wody. Rozszalały żywioł był niebezpieczny dla dzikiej zwierzyny. Często różne zwierzęta przepływały przez wzburzoną rzekę, by ratować życie. Widzieliśmy ogromne krokodyle, a czasem wielkie, jadowite mamby walczące z nurtem. Węże często chroniły się na drzewach, ale musiały opuszczać się na ziemię w poszukiwaniu pokarmu i wtedy wpadały do wody. W czasie powodzi szczególnie mocno dawały nam się we znaki czarne mamby. Musieliśmy zabijać je strzałami z karabinu, gdyż ukąszenie czarnej mamby jest śmiertelne, a baliśmy się o życie ludzi mieszkających w namiotach.

Gdy w czasie deszczów woda przynosiła z Caprivi węże usiłujące przedostać się na suchy ląd, nasi synowie pływali za nimi łodzią i zabijali tyle, ile zdołali. Pewnego dnia Chris przyniósł do schroniska ogromną czarną mambę, którą ustrzelił ze śrutówki. Broń nie strzelała mocno, więc śrut wbił się tylko do połowy grubości ciała gada, który nie zginął, lecz był oszołomiony. To zadziwiające, że Chris nigdy nie został ukąszony. Dobry Bóg czuwał nad moimi synami. Ludzie dziwili się, dlaczego pozwalam im brać łódkę i znikać z wędkami i strzelbami na rzece, ale nie byłam w stanie zatrzymać ich w domu. Wiedziałam, gdzie są, choć czasem nie miałam pojęcia, co knują!

Ze względu na dzikość terenu i powodzie zdarzało się wiele incydentów z wężami, zwłaszcza z mambami. Na tyłach naszej sypialni nad werandą wisiała moskitiera. Kiedyś jeden z pracowników przybiegł z okrzykiem:

— Tam jest mamba!

Akurat w tym czasie wszyscy mężczyźni przebywali poza domem, więc popędziłam do baru, żeby zobaczyć, kto tam jest. Zastałam dwóch Anglików. Zapytałam, czy któryś z nich umie strzelać, i powiedziałam o wężu. Kiedy okazało się, że żaden nie trzymał nigdy broni w ręku, zadzwoniłam na policję.

— Przykro mi, ale kapitan wyjechał, a my nie mamy broni — usłyszałam.

Nagle mnie olśniło: Chris sprzedał wiatrówkę szefowi kuchni. Natychmiast tam pomknęłam.

— Lamson, umiesz strzelać? — zapytałam.

Kucharz potwierdził, więc spytałam, czy umiałby zastrzelić węża. Odparł, że nie ma śrutu. Na szczęście znalazłam trochę śrutu w pokoju Chrisa.

Mamba była ogromna. Wśliznęła się do kąta, Lamson strzelał do niej raz po raz. Śrut był drobny i zdawało się, że nie robi na wężu większego wrażenia. Jednakże gad miał już tyle okruchów metalu w głowie, że nie mógł jej unieść. Stał się względnie nieszkodliwy i dało się go wynieść na zewnątrz.

Innym razem podnosiłam z podłogi kosz z bielizną do prania i poczułam, że jest cięższy niż zwykle. Leżała tam zwinięta mamba. To było bliskie spotkanie.

Lęk przed mambami był ze wszech miar uzasadniony. Chris przypomina sobie, że pewnego wieczoru znajomi przyszli do nas na grilla. Kiedy zrobiło się późno, jedna z pań zadecydowała, że położy dzieci spać, i poszła z nimi do sypialni. Wsunęła rękę pod łóżko, żeby wyciągnąć walizkę z ubraniami, i poczuła coś śliskiego i zimnego: była to olbrzymia czarna mamba. Kobieta kazała dzieciom opuścić pokój i wszyscy przybiegli do nas w panice. Dorośli, zwłaszcza mężczyźni, byli już trochę podchmieleni. Hurmem ruszyli do domu, żeby zabić węża, uzbrojeni w czajniki z wrzątkiem, cegły, kamienie i wszystko, co wpadło im w ręce. Po pijanemu wrzucali to wszystko do pokoju, a wąż tymczasem zwinął się w szufladzie. Dzielna ekipa doszczętnie zdemolowała komodę. Gad, usiłując zbiec prześladowcom, wspiął się na belki pod sufitem. Był już wtedy mocno poraniony, walczył o życie. Chris pobiegł po wiatrówkę. Wpakował w mambę dwadzieścia, może trzydzieści kawałków śrutu i wąż padł martwy na podłogę.

Moi synowie często ledwie uchodzili z życiem z rozmaitych przygód. W rzece Chobe roiło się od krokodyli, a oni robili straszne głupstwa. Jeździli na nartach wodnych i pływali, zachowując jednak pewną ostrożność. Teraz zachodzę w głowę, jak to się stało, że przeżyli. Wychowywali się w bardzo niebezpiecznym otoczeniu i tak jak dzieci mieszkające w wielkim mieście, które muszą nauczyć się uważać na przejeżdżające samochody, musieli się nauczyć żyć bezpiecznie w buszu. Znali rzekę na wylot i nigdy się nie bali w czasie swoich eskapad. Nie uważali, że podejmują niepotrzebne ryzyko. Przekonywałam ich, żeby o pewnych godzinach siedzieli w domu, ale nie mogłam ograniczać ich swobody. Teren zapewniał wyjątkowe możliwości, nie wolno mi było stawiać im barier.

Ian twierdzi, że czuwała nad nimi armia Aniołów Stróżów. Jako dzieci włóczyli się w towarzystwie małego foksteriera, a wszystko, co małe, stanowi łup dla dużych zwierząt. Cały teren,

Major Lamb wraz z innym gościem w naszym barze

łącznie z rzekami, chłopcy traktowali jak swoje podwórko. Prowadzili niesłychanie ciekawe życie. Mieli swobodę poruszania się w ogromnym, dzikim buszu, w którym zasiane były ziarna ich przyszłości.

Na czas prac przygotowawczych w schronisku powierzyliśmy w pełni wyposażony dom w Serandellas stróżowi o osobliwym przydomku Cockeye. Człowiek ten z pewnością miał dobre oko do wypatrywania okazji. Zorientowawszy się, że nasze schronisko w Kasane robi karierę, postanowił rozpocząć własną działalność. Swoją łodzią *mokoro* zaczął przewozić przez rzekę terrorystów z Caprivi i udzielać im noclegu w naszym domu, w naszych łóżkach! Płacili mu w funtach angielskich. Cockeye wydawał pieniądze w sklepie należącym do greckiego dżentelmena o nazwisku Louzides, który zaczął coś podejrzewać w związku z angielską walutą. Zapytał Cockeye'a, skąd bierze pieniądze, a ten nie udzielił mu satysfakcjonującej odpowiedzi. Zwróciliśmy się do miejscowej policji, żeby sprawdziła, czy Cockeye nie podkrada czegoś z naszego domu. Policjanci odkryli, że przewozi ludzi przez rzekę i zapewnia im nocleg. Odkryli także, że przedsiębiorczy jegomość kłusuje, by zdobyć mięso dla swojej klienteli. Spędził za to pół roku w więzieniu. Kiedy w styczniu wyszedł na wolność, zawitał do nas i oświadczył, że przyszedł po swój prezent gwiazdkowy!

W schronisku było sześć pokoi, dwanaście *rondawel* oraz dwa domki dla rodzin. Często przyjmowaliśmy także biwakowiczów. Nigdy nie wiedzieliśmy dokładnie, ile osób będziemy gościć. Czasem dwie osoby rezerwowały miejsca, a wieczorem okazywało się, że liczba rosła do dwudziestu. Innym razem uroda okolicy tak zachwycała przybyszów, że odkładali wyjazd i spędzali u nas dodatkowy dzień. Zawsze trzymałam dla nich zapas wołowiny w puszkach w naszym sklepie w Kasane, oprócz tego mieliśmy świeże leszcze. Cieszyły się wielkim powodzeniem. Jeden z gości oznajmił, że może jeść ryby na śniadanie, lunch i obiad.

Pewnego dnia, jadąc półciężarówką do Kachikau, spotkałam Dicka z firmy Wenella zajmującej się rekrutacją robotników do kopalń. Kierował oddziałem w Katimo Mulilo. Zatrzymał swój samochód, żeby pogadać. Przedstawił mnie pani, która z nim jechała. Nie rozpoznałam jej, ale chwilę porozmawiałyśmy. Powiedziałam, że jestem w drodze do Kachikau. Nazajutrz otrzymałam wiadomość przez radio, że owa znajoma Dicka prowadzi program dla kobiet w południowoafrykańskim radiu Springbok. Pytała, czy zechciałabym ją przyjąć w schronisku i udzielić jej wywiadu. Pragnęła się dowiedzieć, jak radzę sobie z aprowizacją, jak przygotowuję jedzenie i jak żyje się kobiecie w tym dzikim środowisku. Odparłam, że człowiek się przyzwyczaja i uczy się improwizować.

— Jeśli zabraknie składników do pieczenia chleba, robi się *vetkoek*. — To ciasto z drożdży pieczone na oliwie lub smalcu.

Po programie zjawiło się u nas wielu nowych gości. Zaprzyjaźniliśmy się nawet z ludźmi z Nelspruit w Republice Południowej Afryki, którzy zaczęli nas odwiedzać po wysłuchaniu wywiadu radiowego. Przyjaźnimy się po dziś dzień.

Znalezienie dobrych pracowników w Chobe nie było łatwym zadaniem, musiałam ich sama szkolić. Szef kuchni pochodził z Rodezji Północnej, musiał więc co sześć miesięcy odnawiać pozwolenie na pracę. Jak na ironię, właśnie w weekendy, w czasie największego ruchu, pracownicy urządzali sobie najhuczniejsze imprezy.

Lolly był dyrektorem generalnym odpowiadającym za utrzymanie ośrodka, zasoby wody i generatory. Ja kierowałam schroniskiem, a każdy dzień w Chobe przynosił mnóstwo zajęć. By sprostać zadaniom, wstawałam o piątej rano i posyłałam gościom poranną herbatę czy kawę do pokoi. Następnie nadzorowałam przygotowanie śniadania, a potem zaczynaliśmy piec ciastka i biszkopty na podwieczorek. Trzeba było zamawiać paliwo, produkty żywnościowe i wiele potrzebnych rzeczy. Nasze zapasy docierały pociągiem z Bulawayo do Victoria Falls, później trzeba je było przewieźć ciężarówką czterdzieści mil drogą, która prawie nie istniała. W ten sposób docierało do nas wszystko: chleb, piwo, szparagi i alkohol. Nawet lody były pakowane w specjalne pudła i dowożone z Bulawayo. Miałam chłodzone pomieszczenie, lecz miejsca w lodówce było niewiele, musiałam więc dokładać wielkich starań, żeby wszystko dotarło na czas i pozostało świeże. Odpowiadałam także za ponton, kierowałam biurem linii Botswana Airways, a czasem musiałam nawet odpędzać zwierzęta z pasów startowych, gdy samoloty podchodziły do lądowania. Kupiliśmy dwusilnikowy samolot i zatrudniliśmy pilota do lotów czarterowych i do użytku prywatnego. Moje dni były tak wypełnione zajęciami, że prawie nie miałam na nic czasu.

Wolność przybywa do Beczuany

W Beczuanie zapanowało wielkie poruszenie, kraj uzyskiwał suwerenność. Księżna Kentu Marina miała przylecieć z Londynu jako przedstawiciel Wielkiej Brytanii. Planowała spędzić trochę czasu w naszym ośrodku. Wraz z majorem Lambem, komisarzem naszego okręgu, urządziliśmy małą uroczystość w Kasane z okazji opuszczania flagi brytyjskiej i wciągnięcia na maszt nowej. Beczuana miała się odtąd nazywać Botswana.

Mniej więcej tydzień przed przybyciem księżnej Mariny na naszym terenie wykryto „terrorystów". W Kazangula, jakieś sześć mil od schroniska, sześciu mężczyzn wkroczyło do sklepu i zakupiło produkty żywnościowe. Miejscowość była maleńka, wszyscy mieszkańcy się znali, więc sześciu mężczyzn kupujących jedzenie dało asumpt do plotek. Właściciel sklepu opowiadał każdemu o klientach i powtarzał, o czym między sobą mówili. Kierowali się w stronę wioski River-Bushman leżącej nieco dalej na szlaku do granicy z Rodezją. Dwóch dziarskich policjantów wsiadło na rowery i pojechało przeprowadzić śledztwo. Owi nieznajomi byli

Major Lamb w czasie ceremonii wciągania flagi na maszt

uzbrojeni w kałasznikowy! Wszyscy uznali to za świetny dowcip: dwóch policjantów na rowerach aresztowało sześciu uzbrojonych po zęby terrorystów. Wszędzie zaroiło się od funkcjonariuszy policji kryminalnej. Ze względów bezpieczeństwa omal nie odwołano przyjazdu księżnej. Jednakże przybyła, a jednym z powodów jej wizyty było to, że sir Seretse Khama, przywódca państwa

Botswana, uwielbiał Chobe. Seretse, jego żona Ruth oraz ich dzieci regularnie odwiedzali park. Spędzali mnóstwo czasu z Lollym, łowiąc tygrysie ryby. Pamiętam, że pewnego razu w czasie ich wizyty Lolly leżał złożony malarią. Seretse nie zamierzał rezygnować z wędkowania, ale nie chciał jechać z byle kim.

— Nie pojadę nad rzekę bez Lolly'ego — oświadczył.

Nie miałam wyjścia, musiałam przekonać męża.

— Jutro możesz umrzeć, ale dzisiaj pojedziesz na ryby.

Przeszkolono nas, jak należy się zachowywać w obecności członkini rodziny królewskiej. Nie wolno było się do niej odzywać, dopóki pierwsza kogoś nie zagadnęła. Uprzedzono nas także, że nie lubi być tytułowana „wasza wysokość", woli, kiedy mówi się do niej „madame".

Moja mama ustroiła schronisko dwudziestoma siedmioma bukietami kwiatów zebranych w buszu. Dekoracji dopełniały kupione od Buszmenów zwierzęce skóry, którymi usłaliśmy schronisko. Lolly wyjechał moim pięknym kabrioletem do Serandellas, żeby odebrać dostojnego gościa. Księżna Marina usiadła z majorem Lambem na tylnym siedzeniu, Lolly pełnił funkcję szofera.

Mój mąż miał zabrać księżną na wycieczkę po rzece, w towarzystwie łodzi eskortowej. Zaprowadził gościa na molo, gdzie czekali i czekali, lecz eskorta się nie pojawiła. Choć Lolly wiedział, że nie powinien w tej sytuacji wypływać, zniecierpliwił się.

— Skarbie, na co czekamy? — zapytał, zwracając się do księżnej Mariny. — Ruszajmy! — Wsiedli na łódź i odpłynęli.

Łódź eskortowa miała awarię silnika. Kiedy w końcu dotarła do mola, policjanci dziwili się, że nie ma tam księżnej. Mogliśmy im jedynie powiedzieć, że odpłynęła z Lollym. Policjanci ruszyli w pościg. Lolly miał poważne kłopoty!

Jej Wysokość księżna Marina w towarzystwie majora Lamba podczas powitania w Chobe. Komitet powitalny tworzą córki komendanta policji, jednego z członków personelu, oraz ja

Przygotowałam specjalną jadalnię dla dostojnych gości, żeby nie musieli siedzieć z innymi turystami. Księżna przysłała mi wiadomość, że jej wizyta nie powinna zakłócać nikomu pobytu i że chce jadać ze wszystkimi. Wydaliśmy przyjęcie na jej cześć. Po kolacji zapytałam, czy jedzenie było dobre.

— To był najlepszy posiłek, jaki zjadłam w Botswanie — odparła.

Wieczorem zobaczyłam, że księżna wychodzi z sypialni i udaje się do swojej damy do towarzystwa, a potem wraca do siebie. Po chwili dama wypadła ze swojego pokoju z lokówką we włosach.

— W łazience księżnej Mariny jest pająk — oznajmiła.

Detektywi chcieli pędzić księżnej na ratunek, ale ich powstrzymałam, radząc, by poczekali na Lolly'ego. Bałam się, że usiłując zabić pająka, zaczną demolować ściany albo okna. Lolly ostrożnie usunął intruza. Nazajutrz wezwano nas do pokoju księżnej, która pogratulowała nam z okazji rocznicy ślubu i przeprosiła za zamieszanie z powodu pająka; wyjaśniła, że w jej sypialni w Anglii takie sytuacje się nie zdarzają, więc nie jest do nich przyzwyczajona. Była uroczą kobietą. Złożyła autograf na zdjęciu i napisała: „To będzie pamiętny dzień".

Mniej więcej pół roku po tej wizycie Seretse i Ruth zostali zaproszeni na kolację do rezydencji księżnej Mariny w Anglii. W czasie posiłku rozmawiano o wyprawie do Botswany. Ruth zapytała księżną, co jej się najbardziej spodobało i co najlepiej zapamiętała.

— Nigdy nie zapomnę Chobe. Pierwszy raz w życiu ktoś zwrócił się do mnie per skarbie.

Niestety, księżna zmarła rok później z powodu guza mózgu.

Dwanaście, może piętnaście lat temu Ian, syn sir Seretse'a, przyjmował salut wojskowy na lotnisku, a my siedzieliśmy na ławce, czekając na swój lot. Ian Khama podszedł się z nami przywitać. Pamiętał nas, mimo że był małym chłopcem, gdy przebywał w Chobe. Potwierdził w ten sposób dobre stosunki łączące nas z jego ojcem.

Janusz również lubi wspominać odwiedziny w Chobe. Pamięta, że podrywał bodaj wszystkie białe kobiety, które napotykał. Zwykle cieszyłam się z jego wizyt, lecz po pewnym incydencie doszłam do wniosku, że nie powinien do nas więcej przyjeżdżać.

Nasz znajomy policjant Des miał żonę Jennifer. Dzięki Desowi otrzymywaliśmy wszystkie licencje i pozwolenia, więc zależało nam na tym, żeby żyć z nim w przyjaźni. Po jednym z pobytów Janusza ktoś mnie zapytał, czy wiem, że mój brat wyjeżdża wieczorem, ale nie sam: zabiera ze sobą Jennifer. Musiałam działać błyskawicznie. Zadzwoniłam do urzędów celnych i imigracyjnych po obu stronach granicy, Botswany i Rodezji, i oznajmiłam:

— Proszę nie przepuszczać mojego brata przez granicę.

Znałam dobrze wszystkich urzędników, toteż mogłam na chwilę popsuć Januszowi zabawę. Wyjechał nieco później, ale sam. Pewnego dnia musieliśmy z Lollym udać się w interesach do Bulawayo; Jennifer zapytała, czy może się z nami zabrać, bo musi pójść do ginekologa. Uzgodniłam to z jej mężem i Jennifer pojechała z nami. Des miał wszystkiego dość i stwierdził, że w gruncie rzeczy nie ma znaczenia, czy jego żona pojedzie, czy nie. W Bulawayo wsiadła do pierwszego pociągu do Johannesburga, by zamieszkać z Januszem. Później przeniosła się do Vaal River do mojej przyjaciółki. Nie sądzę, żeby jej romans z Januszem długo przetrwał.

Najgorsze jest to, że ta historia zniszczyła życie wielu ludziom. Des związał się z żoną strażnika parku, Mary Hepburn.

Żyliśmy w małej społeczności. Major Lamb wpadał każdego ranka na szklaneczkę różowego ginu, a potem wracał do biura. Kapitana Webba znaliśmy jeszcze z czasów, gdy mieszkaliśmy w Livingstone. Postawiliśmy sobie za cel zabawić się w swatów i znaleźć mu partnerkę. Pewnego razu, gdy w Livingstone odbywał się bal policjantów, a Lolly nie mógł iść z powodu choroby, Webb zaproponował, żebym poszła z nim. Nie uznałam tego za dobry pomysł i podpowiedziałam mu, aby zaprosił Ruth, moją przyjaciółkę. Nazajutrz zapytałam kapitana, czy spodobało mu się na tańcach.

— Ożenię się z Ruth! — odpowiedział.

Stanęli na ślubnym kobiercu i zamieszkali w Kasane. Webb miał jedną słabość: lubił podsłuchiwać rozmowy prowadzone przez nasz telefon.

Naturalnie czasem nie chciałam, żeby ktoś słuchał moich rozmów. Kiedyś usiłowałam zdobyć paliwo; nie było to łatwe. Po ogłoszeniu niepodległości naszego kraju nie mieliśmy paliwa przez dwa miesiące. Musieliśmy się bez niego obywać, ale potrzebne nam było paliwo do generatora i do statków, które stanowiły główne źródło naszych dochodów. Kłopot wynikał z animozji między Ianem Smithem, premierem Rodezji, a przywódcami Zambii, którzy nie pozwalali nam importować paliwa przez granicę swojego państwa. Nie istniały drogi łączące Chobe z resztą Botswany, zatem w kwestii paliwa byliśmy całkowicie zależni od Zambii.

Gdy odcięto nam dostawy, zadzwoniłam do siedziby rządu Botswany. Usłyszałam, że zamówione przeze mnie paliwo może być przewiezione przez Johannesburg, Francistown i Rodezję do urzędu celnego w Victoria Falls, skąd mogłabym je odebrać. Nie chciałam, żeby ktoś wiedział o moich planach, tymczasem w trakcie rozmowy rozległo się w słuchawce szczekanie psa.

— Ktoś mnie podsłuchuje — powiedziałam. — Webb, to ty?

— Nie słucham! — odparł.

Tym razem przyłapałam go na gorącym uczynku! Miałam ochotę ucałować kierowcę, kiedy transport z paliwem wreszcie dotarł.

Mieliśmy do czynienia z najrozmaitszymi ludźmi — szpiegami z Europy Wschodniej, policjantami, włóczęgami i członkami rodzin królewskich, rybakami i biznesmenami; to była urozmaicona mieszanina. Przypominaliśmy wielką rodzinę, lecz niektórzy z nas byli nieco osobliwi. Pewien kawaler, leśnik, siadywał sam do kolacji przy świecach, ubrany w garnitur. Może wspominał lepsze czasy, kiedy mieszkał w Anglii. Major Lamb też był Brytyjczykiem. Od wypitego ginu miał różową twarz; raczył się tym trunkiem rano, w południe i wieczorem. Funkcjonariusze służby publicznej nie mieli łatwego życia. Pewien młody agronom jeździł z nami na narty wodne i nauczył mnie grać w brydża.

W Chobe przeżyliśmy wiele zabawnych chwil. Janusz wspomina pobyt z parą przyjaciół, Alanem i Lesleyem, bratem Lolly'ego.

— Postanowiliśmy, że w Nowy Rok urządzimy koncert dla gości. Alan miał opowiadać dowcipy, a Lesley uznał, że wypadnie rewelacyjnie, śpiewając arie operowe. Nie umiałem tańczyć ani śpiewać, toteż musiałem się dobrze zastanowić, do czego mam talent. Doszedłem do wniosku, że powinienem sięgnąć po swój największy walor. Udałem się do ogrodu, znalazłem dużą pszczołę i pozwoliłem jej się ugryźć w najdelikatniejszą część ciała, która nabrzmiała do ogromnych rozmiarów. Wieczorem zacząłem robić striptiz, naprawdę wydawało mi się, że wyglądam podniecająco. Zdejmowałem pomału kolejne części garderoby, aż zostałem w samych majtkach. Jednakże Ala zepsuła zabawę. Kiedy zdejmowałem bieliznę, zgasiła światło i cała moja udręka poszła na marne!

Janusz ponownie staje na ślubnym kobiercu!

W roku 1970 Janusz ożenił się w Durbanie z Dawn. Odbyło się wielkie wesele, na miesiąc miodowy przyjechali do Chobe. Było to spore wydarzenie, gdyż zjawili się z orszakiem ośmiu osób. Neville, Eric, Jerry i David oraz ich partnerki przybyli wraz z nimi; pewnie uważali, że dzięki nim miesiąc miodowy okaże się wielkim sukcesem. Dziewczyna towarzysząca Davidowi kiedyś spotykała się z Januszem. Może chciała zastąpić Dawn, gdyby ta nie dała mu szczęścia? Goście wspaniale się bawili, polując, łowiąc ryby i obserwując zwierzynę. Lolly miał wywrotkę samochodu, którym wszyscy jechali, ale na szczęście nikt nie ucierpiał. Wybrali się na narty wodne, a Eric bał się pływać, więc pękali ze śmiechu, napędzając mu stracha.

— Pewnego razu wieczorem poszedłem z nimi nad rzekę. Mieliśmy oglądać krokodyle — wspomina Janusz. — Złapałem jednego, ale był trochę za duży. Wpadł do łodzi, wszyscy wskoczyli do wody, ratując się przed potworem. To była najśmieszniejsza rzecz, jaką w życiu widziałem: Eric musiał wybierać, czego boi się bardziej, wody czy krokodyla. Wygrał krokodyl!

Zabawili u nas jakieś dziesięć dni. W drodze powrotnej wpadli na chwilę do kasyna w Victoria Falls i przegrali wszystkie pieniądze.

Janusz opowiada o ich niefortunnych przypadkach:

— Na całą naszą dziesiątkę zostało dziesięć funtów. Musieliśmy kupić paliwo, które kosztowało około pięciu funtów, a potem zatrzymaliśmy się, żeby zjeść śniadanie. Kolejne trzy funty. Dwa, które zostały, dałem kelnerce jako napiwek. Nie mieliśmy już nic, a do Johannesburga było bardzo daleko. Sprzedaliśmy zapasowe koło, by kupić benzynę. Tylko w ten sposób mogliśmy dojechać do domu Johna Colemana, który udzielił nam pomocy.

Dawn wciąż jest żoną Janusza. Uważam ją za świętą.

Chris i Ian

Łatwo mi myśleć z nostalgią o Chobe, mam z tego okresu dobre wspomnienia. Nie żyję przeszłością ani dla przeszłości, lecz gdy wyobrażę sobie naturalne piękno tego miejsca, cudowną, niezmąconą urodę natury, zawsze czuję przyjemne ciepło. To był wielki przywilej żyć w tej części świata, w samym sercu Afryki. Piękno ptaków, krzyk rybołowa o poranku, obserwowanie z werandy słoni płynących przez rzekę i krokodyli, słuchanie odgłosów wydawanych przez hipopotamy — to było niewiarygodne. Wszystko toczyło się tak naturalnie. Było bardzo gorąco, ale robiliśmy rozmaite rzeczy, które pozwalały się ochłodzić. Mogliśmy iść na ryby, pływać, obserwować zwierzęta, urządzić sobie cudowny piknik, przeprawić się na drugi brzeg do Zambii albo do Rodezji.

Dla chłopców był to fantastyczny okres. Chris tak wspomina typowy dzień z dzieciństwa:

— Wstawałem rano, brałem strzelbę i wędki, wsiadałem do łódki i znikałem na cały dzień na rzece Chobe. Łowiliśmy z Ianem ryby, polowaliśmy na ptaki i zjadaliśmy je. Kiedy szczęście nam nie dopisało, wracaliśmy na lunch do Chobe. Pewnego razu postanowiliśmy wybrać się gdzieś z namiotem. Chcieliśmy radzić sobie sami, więc nie wzięliśmy prowiantu. Pierwszego dnia nic nie złapaliśmy. Trafiła się tylko kobra, toteż zabiliśmy ją i zjedliśmy. Była całkiem smaczna. Żyliśmy tym, co dała przyroda.

Chłopcom wolno było jeść, kiedy mieli na to ochotę. Wyprawy do buszu i spożywanie tego, co upolowali, stanowiły dla nich wielką przygodę.

Chris wspomina tę swobodę z rozrzewnieniem:

— To było wspaniałe życie. Zachowywaliśmy się jak straszne łobuziaki, czasem chodziliśmy do rezerwatu drażnić się ze słoniami. Szarżowały na nas. Kiedyś puściła się za nami lwica, musieliśmy wskoczyć do rzeki, nie zważając na krokodyle. Wtedy nie myśleliśmy o niebezpieczeństwach. Codziennie pływaliśmy w rzece. Gdybym wiedział o krokodylach to, co wiem dzisiaj, nie byłbym taki odważny. — Chris śmieje się z ignorancji i beztroski młodości. — Często pływaliśmy na Wyspę Krokodyli leżącą naprzeciwko miejsca, w którym niedawno wybudowano hotel. Była tam wielka, piękna piaszczysta łacha, na której zawsze roiło się od gadów. Wydawało się nam, że jeśli zobaczymy krokodyla na piasku, zawsze zdążymy uciec w bezpieczne miejsce. Kiedyś znaleźliśmy tam psa. Niektórzy tubylcy wykorzystywali je jako przynętę na krokodyle, które zabijali, by zdobywać skóry. Z biedaka zostały skóra i kości, skowyczał, błagając o pomoc. Uwolniliśmy go i nakarmiliśmy. Złowione ryby sprzedawałem mamie i w ten sposób zarabiałem trochę drobniaków. Jeśli nie chciała ich kupić, sprzedawałem tubylcom. Wrzucałem ogromną brzanę na taczkę i wiozłem do ich domów. Targowałem się tak długo, aż uzyskałem cenę, która mi odpowiadała. Czasem chodziłem na wyprawy sam, Ian zajmował się wtedy swoimi sprawami. W schronisku nigdy nie było nudno. Pamiętam, jak chłopcy chodzili polować na krokodyle z wujkiem Januszem, to była dla nich wielka przygoda! Później opowiadali mrożące krew w żyłach historie o tym, co wydarzyło się na rzece. Dręczyły mnie koszmary z ich powodu. Kiedyś krokodyl zacisnął szczęki na palcach Iana tak mocno, że zablokował przepływ krwi. Janusz wsunął mu nóż do paszczy i zdołał lekko rozewrzeć zęby, żeby Ian mógł wyciągnąć palce. Jednocześnie przez cały czas zmagał się z dużym i mocno rozeźlonym krokodylem. Palec był cały purpurowy, gdy Ianowi wreszcie udało się go wyrwać. Nigdy nie brakowało nam dreszczyku emocji — mówi z uśmiechem Chris. — Pewnego dnia, gdy jedliśmy lunch w jadalni, a mama rozmawiała w biurze przez telefon, piorun uderzył w drzewo przed domem. Zostało wyrwane z korzeniami i runęło na okna jadalni. Szkło rozprysło się po całym pomieszczeniu, odłamki powbijały się w ścianę po przeciwnej stronie. Mama rozmawiała przez telefon, a w czasie burzy to jedna z najniebezpieczniejszych rzeczy, jakie można robić. Potem powiedziała, że zobaczyła ogień na przewodzie i w samą porę wypuściła słuchawkę. Wybiegliśmy na zewnątrz, by ocenić straty. W powietrzu czuło się zapach siarki. Mama była w szoku, krzyczała, żebyśmy wracali. Pewnie bała się następnego gromu. Wszystkie sztućce na stole zrobiły się złote i błyszczały. To było szalone życie w dzikim otoczeniu. Niestety, nasza nauczycielka, Anne Hutchinson, musiała wracać do Ameryki, a to oznaczało dla nas koniec sielanki.

Wysłałam chłopców do przyjaciółki w Victoria Falls, mieli tam mieszkać i chodzić do szkoły. Zaskoczyłam ich wizytą i zastałam biegających w pobliżu *rain forest*, lasu deszczowego. Oświadczyłam, że to żadna edukacja i że będą musieli uczęszczać do szkoły z internatem w Johannesburgu. Naturalnie się zbuntowali. Bardzo im się nie spodobało, że muszą opuścić Chobe, a pomysł chodzenia do szkoły z internatem — nazwanej przez nich obozem koncentracyjnym — przelał czarę goryczy. Postanowiłam dać im wybór: albo sprzedajemy Chobe i przeprowadzamy się do miejsca, w którym będą mogli chodzić do szkoły, albo pójdą do szkoły z internatem, a wakacje będą spędzać w Chobe. Zapadła decyzja: St. David's Marist Brothers College w Inanda w Johannesburgu.

— Ależ oni byli surowi! — skarży się Chris. — Tam było gorzej niż w obozie koncentracyjnym. Dostawaliśmy lanie praktycznie za nic, i to codziennie. Kiedyś graliśmy w piłkę i zaczęło padać. To była prawdziwa ulewa. Schowaliśmy się pod dachem. Przyszedł zakonnik i zbił nas wszystkich rózgą, bo nie dał nam pozwolenia, żebyśmy przestali grać. Jeśli ktoś coś przeskrobał i się nie przyznał, wszyscy dostawali sześć najmocniejszych razów.

Utrata swobody, której zażywali w Chobe, była dla moich synów dotkliwa, ale zacisnęli zęby, bo mieli perspektywę spędzania wakacji w pięknej, dzikiej, cudownej części świata. Nie mogli się ich doczekać. Inni chłopcy byli w podobnej sytuacji, nawiązywały się przyjaźnie, które pomogły im przetrwać trudny czas.

Mimo ogromnej niechęci chłopcy uczęszczali do szkoły przez cztery lata. Bardzo za nimi tęskniliśmy. Janusz, który wówczas mieszkał w Johannesburgu, zabierał ich na weekendy. Jeździli nad rzekę Vaal i jak opowiada Chris, „było prawdziwe szaleństwo". Janusz za każdym razem przywoził ze sobą inną dziewczynę. Poruszali się samochodem terenowym i polowali na perliczki. Hilda, znajoma z Chobe, także uczestniczyła w tych weekendowych wypadach.

Posyłałam im pieniądze, a chłopcy potrafili je zaoszczędzić. Kiedyś przed przyjazdem na wakacje postanowili kupić nam prezent. Ian, który uwielbiał czekoladę i napoje, usłyszał od brata, że jeśli chce coś kupić mamie i tacie, musi zacząć pić wodę zamiast coca-coli. Większość uczniów pochodziła z zamożnych rodzin, więc gdy Chris i Ian oznajmili, że chcą kupić prezent dla rodziców, szofer zawiózł ich rolls-royce'em do jubilera w Rosebank, jednego z najdroższych wówczas sklepów. Kupili piękną płaskorzeźbę w szkatułce, bardzo nam się spodobała.

Ian pamięta, jak Lolly zajmował się kontrolowaniem liczebności stad słoni: odstrzeliwał te, które stanowiły zagrożenie dla pól uprawnych albo mieszkańców wiosek. Lolly miał doświadczenie, toteż komisarz okręgu często zwracał się doń z prośbą, by zabijał krnąbrne sztuki. Nasi synowie jeździli z nim na te polowania. Choć byli młodzi, potrafili iść tropem zwierzęcia przez dwa dni. Prowadzili buszmeńscy tropiciele; było to nieocenione doświadczenie dla chłopców, którzy mieli żyć w buszu.

Ian zastrzelił swojego pierwszego słonia w wieku dwunastu lat. Gdy zwierzę padło, otoczyło go kilka innych i próbowało postawić na nogi. Usiłowały podnieść towarzysza. Lolly kazał synowi wypalić w powietrze ponad ich głowami, żeby je wystraszyć, ale zdawało się, że huk nie robi na nich wrażenia. Jeden z Buszmenów wziął kij i zaczął nim uderzać o wydrążoną kłodę. Brzmiało to jak rąbanie drzewa. Słonie odbiegły natychmiast, jakby odgłos wzbudził w nich odrazę. Ian nigdy nie zapomni tego wydarzenia, zaimponowała mu ogromna wiedza Buszmenów. Słonie są niesłychanie inteligentnymi i towarzyskimi zwierzętami. To było stado samców, ich reakcja na śmierć jednego z towarzyszy zdumiewała tym bardziej, że więzi między samcami słoni zwykle nie są silne, w przeciwieństwie do więzi między samicami i młodymi. Scena musiała wydać się obserwatorowi nadzwyczajna. Ian mówi, że nigdy więcej nie miał ochoty zastrzelić słonia, zwłaszcza po późniejszych doświadczeniach, gdy musiał podejść naprawdę blisko do tych olbrzymów. Polowanie dla samego polowania nigdy go nie ekscytowało. Bywało, że przez cały dzień ścigał antylopy impala, by zdobyć mięso do garnka, i wracał do domu z pustymi rękami. Ian wie naturalnie, że czasem zabicie zwierzęcia jest absolutnie konieczne. Słonia zastrzelił dlatego, że zwierzę zabiło mieszkańca wioski i spowodowało mnóstwo szkód, między innymi stratowało całe pole kukurydzy. Mieszkańcy afrykańskich wiosek uprawiają zboże wyłącznie na własne potrzeby, więc jeśli tracą zbiory, nie mają co jeść.

Przed odstrzeleniem słonia trzeba poznać historię jego życia. Wiele słoni wykazuje agresję dlatego, że jako słoniątka zostały osierocone właśnie z powodu odstrzałów. Kiedy młode widzi, jak jego rodzina ginie, może to prowadzić do najbardziej agresywnych zachowań w późniejszym życiu. Należy także zbadać okoliczności zachowania się słoni. Osobnik zdradzający agresję powinien być obserwowany, gdyż może stanowić zagrożenie dla człowieka. Ludzie często robią wiele hałasu, gdy w grę wchodzi dzikie zwierzę.

Chobe miało w owym czasie największe pogłowie słoni. Po naszej wyprowadzce stamtąd tak się rozmnożyły, że spustoszyły roślinność rzeczną. W wyniku tego znikły buszboki na tym terenie.

Zaprzyjaźniliśmy się z Grahamem i Di Charlesami oraz ich rodziną. Graham pisał pracę naukową o buszbokach w Chobe. Mieszkali w kwaterze straży rezerwatu przyrody, często się odwiedzaliśmy. Graham i ja mieliśmy urodziny tego samego dnia, więc urządzaliśmy wspólne przyjęcia urodzinowe. Ich syn Brian zrobił później doktorat z ochrony przyrody. Wprowadził w Zimbabwe zwyczaj, z którego odnosiły korzyść lokalne społeczności. Jeśli jakieś zwierzęta sprawiały mieszkańcom wioski kłopoty, sprowadzano zawodowych myśliwych, a zyski z polowania trafiały do poszkodowanych. Stworzono komisje zajmujące się wskazywaniem zaniedbanych dziedzin, na przykład edukacji, i dzięki temu poprawiano jakość życia społeczności. Nowy system ochrony przyrody okazał się bardzo skuteczny i pozwolił ocalić znaczną część populacji słoni w Zimbabwe. Obecnie słonie są dziesiątkowane przez kłusowników, dokonania Briana idą na marne. Cierpią nie tylko zwierzęta, ale także drzewa wycinane bez umiaru na opał; w ich miejsce sieje się kukurydzę. Trudno winić Afrykanów, gdyż wielu z nich głoduje, lecz przykro jest patrzeć, jak piękny kraj, dawniej dbający o swoją przyrodę, ulega spustoszeniu. Na szczęście Botswana to jedno z niewielu stabilnych państw w Afryce, a rządowi zależy na ochronie dzikiej przyrody.

Wspominając czasy w Chobe, Ian mówi:

— Przeciętny człowiek nigdy nie pozna tego, czego doświadczyłem. Były tam ogromne dzikie, niezamieszkane tereny. Żyliśmy całkowicie odcięci od świata, a najbliższe osiedla, takie jak Livingstone, były zaledwie wioskami, do których dało się dojechać jedynie nędznymi piaszczystymi traktami. Zdobycie podstawowych rzeczy stanowiło niemały problem. Przejazd około siedemdziesięciu mil z Kasane do Maun zajmował trzy do czterech dni, jeśli jechało się ze średnią prędkością pięciu mil na godzinę. Poza tym trzeba było przedostać się przez tereny much tse-tse, co stanowiło dodatkowe niebezpieczeństwo.

Zawodowi myśliwi z Kenii w towarzystwie żon i dzieci często zatrzymywali się u nas w Chobe na cztery do pięciu miesięcy w czasie sezonu myśliwskiego. Ich żony były pięknymi i zgrabnymi kobietami. Przez całe dnie nie robiły nic poza leżeniem koło basenu i popijaniem różowych drinków. Ja musiałam harować ciężko od rana do wieczora, ale im nie zazdrościłam. Miałam bardzo mało czasu na zajmowanie się modą i zabiegami upiększającymi. Nie uważałam tych spraw za tak ważne. Lecz pewnego dnia Lolly zwrócił uwagę na urodę tych dam. Ty draniu!, pomyślałam. Ja cię urządzę!

Pojechawszy po dzieci do Johannesburga, kupiłam minispódniczkę z bluzką z rozcięciem, wysokie czerwone kozaczki i cygarniczkę. Pamiętałam wizytę księżnej Mariny: jej fryzjerka nosiła obcisłą, bardzo krótką spódnicę. Mieszkaliśmy odcięci od świata, nawet nie zdawaliśmy sobie sprawy z tego, że minispódniczki to ostatni krzyk mody; jej strój wzbudził w nas niesmak. Dziwiliśmy się, bo wydawało się nam, że z pewnością stać ją na zakup większej ilości materiału. Jak to czasy się zmieniają! Nagle się okazało, że sama kupuję podobną, a nawet krótszą spódnicę. Pewnego wieczoru, kiedy w barze nie było zbyt wiele do roboty, zasiadłam na stołku w niewiarygodnie krótkiej spódniczce, skrzyżowawszy zmysłowo nogi, z cygarniczką w dłoni. Moi synowie weszli do pubu, spojrzeli na mnie i popędzili do ojca.

— Tato! Chodź zobaczyć, co mama wyprawia!

Byli zszokowani, ale na Lollym mój nowy wizerunek nie wywarł większego wrażenia.

Na piętrze domu znajdowało się pomieszczenie, w którym goście mogli urządzać własne przyjęcia. Pokój chłopców był tuż obok, więc gdy przyjeżdżali na wakacje, przez całe noce słuchali, co się dzieje za ścianą.

— Rano po przebudzeniu wchodziliśmy do pubu i zbieraliśmy wszystkie niedopałki — wspomina Chris. — Próbowaliśmy je palić i wypijaliśmy wszystko, co zostało w kieliszkach. Mama nas na tym przyłapała. Poszła z nami do ogrodu, zapaliła papierosa i powiedziała: „Palcie!". Zanosiliśmy się kaszlem i paliliśmy, paliliśmy i kaszleliśmy, aż zebrało nam się na mdłości. Nigdy więcej nie tknęliśmy papierosów. Potem mama pouczyła nas, że nie należy spijać resztek po innych ludziach. Nalała z butelki czegoś, co wyglądało jak śmiertelna trucizna. Kazała nam to wypić i zemdliło nas jeszcze bardziej. Dostaliśmy nauczkę na całe życie.

Moja mama, która zajmowała się sprzedażą alkoholu na wynos oraz kwiatami, miała przyjaciółkę. Była to drobniutka kobiecinka, nazywała się Stapa. Wołaliśmy na nią ciocia Lila. Urocza, zawsze radosna i zabawna pani. Miała farmę nieopodal Livingstone; po śmierci męża nie zrezygnowała z uprawy ziemi, ale musiała pracować jednocześnie jako kierowniczka sklepu obuwniczego Bata. Pewnego razu, jadąc do Livingstone, Lolly zobaczył zepsuty samochód, który wyglądał jak porzucony na drodze. Jednakże gdy podszedł bliżej, ujrzał drobną kobietę, która leżała pod samochodem, usiłując go naprawić. Tak zaczęła się nasza przyjaźń. Lila także kochała zwierzęta. Jakiś czas po tym, jak przeprowadziła się do Chobe, by pomagać mojej mamie, pewien Afrykanin przyniósł małą wydrę. Kupiła ją od niego, zwierzę wychowało się w jej pokoju. Był to samczyk, nadała mu imię Maciek. Okazał się niezłym ziółkiem. Kiedy goście jedli śniadanie, Maciek czekał, aż zamówią jaja na bekonie. Uwielbiał bekon, więc wskakiwał na stół i kradł mięso. Lubił także masło. Mimo swoich złodziejskich nawyków cieszył się sympatią gości. Kiedyś wraz ze swoim kolegą, naszym foksterierem, zwędzili lód z drinków gości i trochę się wstawili. Maciek zaczął wykonywać swoje sztuczki gimnastyczne, które rozbawiły i oczarowały widzów. Uwielbiał ciocię Lilę. Gdy brała urlop i wyjeżdżała, tęsknił za nią i był nie do wytrzymania. Kręcił się po schronisku, pewnego dnia wlazł do walizki dwóch starszych pań i podarł kilka rzeczy. Innym razem, w czasie gdy nałożono sankcje gospodarcze na Rodezję, odwiedził nas pewien rodezyjski klient, który miał ze sobą cenny namiot niemieckiej produkcji — cenny dlatego, że takich rzeczy nie dało się kupić w żadnym sklepie w Rodezji. Maciek podarł go na strzępy. Kiedy ciocia Lila wracała, zwierzak przemawiał do niej. Wydawał dziwne odgłosy, zawodził, jakby chciał powiedzieć: „Jak mogłaś mnie tak zostawić?". W obecności cioci Lili zmieniał się nie do poznania. Słuchał swojej pani i nie robił zamieszania. Zachowywał się wzorowo i był samą słodyczą.

Lubił wskakiwać do rzeki i mierzyć się z innymi samcami. Pewnego dnia wrócił bez jednego pazurka, który pewnie stracił w bójce. Z pazurkiem czy bez i tak go wszyscy kochaliśmy.

Kiedyś pewna ekipa filmowa ze Stanów Zjednoczonych zarezerwowała u nas miejsca na dwa tygodnie. Widziałam, jak Maciek ich zaintrygował. Po pierwszym dniu zdenerwowani goście oznajmili mi, że otrzymali pilną wiadomość i będą musieli wyjechać. Nasze urządzenia komunikacyjne nie należały do najnowocześniejszych, nawet było niemożliwe, żeby w tak krótkim czasie dotarła do nich jakaś wiadomość. Wyjechali jednak, a Maciek zniknął. Wydawało się pewne, że ukradli Maćka. Po latach, gdy mieszkaliśmy już w Nelspruit, oglądaliśmy film o przygodach pewnej wydry. Nagle krzyknęłam:

— To Maciek! Spójrzcie, nie ma jednego pazura.

To było strasznie smutne.

Pewnego dnia zjawił się u nas mężczyzna z dzikim ptakiem. Myśleliśmy, że to młody rybołów. Ciocia Lila ulitowała się nad nim, uważając, że ptak trafi pewnie do garnka. Wykupiła go za piętnaście szylingów. Okazało się, że to sęp. Ścierwojad siadał na dachu schroniska, a goście pytali:

— Na co ten sęp czeka?

Jeden z naszych gości, starszy pan, uwielbiał spacery. Ptak czekał, aż mężczyzna wyjdzie, i fruwał za nim. Temu dżentelmenowi bardzo się to nie podobało, gdyż sęp zachowywał się tak, jakby czekał na jego śmierć.

Wiele lat po tym, jak wyprowadziliśmy się z Chobe, Sonja (była żona Chrisa), Lolly, Chris i ja pojechaliśmy odwiedzić ciocię Lilę w Harare, stolicy Zimbabwe. Bardzo uradowała się na nasz widok. Niestety, już nie żyje. Mam tyle wspomnień z nią związanych!

W pewnej odległości od schroniska na wyspie znajdował się posterunek południowoafrykańskiej policji. Funkcjonariusze często zaglądali do nas, żeby się czegoś napić. Pewnego razu przywieźli ze sobą małego pawiana. Był sierotą, więc go przygarnęliśmy. Później wypuściliśmy go do buszu. Kochaliśmy zwierzęta, ale zawsze chcieliśmy, jeśli to było możliwe, żeby wracały na łono natury.

Policjanci upijali się podczas odwiedzin w naszym barze. Gdy pewnego razu przeprawiali się przez rzekę, jeden z nich zginął zabity przez słonia. Żyjące w naszym sąsiedztwie zwierzęta były dzikie, nie należało o tym zapominać i nie wolno było niepotrzebnie ryzykować.

Odwiedzała nas pani Fitzpatrick, o której synu zrealizowano film *Jock z buszu*. Jeździła z Lollym na safari do Serandellas.

Spali na dwóch łóżkach pod drzewami i rozpinali nad nimi moskitierę. Pani Fitzpatrick lubiła Lolly'ego, gdyż zabierał ją na naprawdę dzikie wyprawy. Pewnego razu przyjechała ciężarówką. Wraz z grupą znajomych była na safari. W drodze powrotnej do Maun ciężarówka się zepsuła. Na kilka dni utkwili na pustkowiu. Lolly odebrał od nich wezwanie o pomoc. Prosili, żeby zabrał ze sobą dużo części zamiennych do ciężarówki. Lolly był prawdziwym kolekcjonerem złomu. Uważał, że zawsze coś może się przydać. Zabrał całe żelastwo, jakie wpadło mu w ręce. Okazało się przydatne, bo pomógł pani Fitzpatrick i jej towarzyszom.

Z powodu wojny, apartheidu i paru innych przyczyn w Botswanie zaczęły się niepokoje. Panował nastrój wrogości do białych, nie czuliśmy się bezpieczni. Uchodźcy z Afryki Południowej zmierzający do Zambii przechodzili przez Chobe i nie patrzyli przychylnym okiem na białych, prowadzących jedyne schronisko na szlaku. Pewien Arab chciał się dostać do Zambii. Z jakiejś przyczyny, prawdopodobnie dlatego, że byliśmy biali, odmówił zapłacenia rachunku. Po utarczkach zadzwoniłam po policjantów, a ci zabrali go na posterunek. Tam zmienił ton i obiecał uiścić należność. Ale znalazłszy się u nas, znów odmówił. Został więc ponownie aresztowany i trafił do więzienia.

Dalsze przebywanie w Chobe stało się niemożliwe ze względu na narastającą wrogość. Mieszkańcy Botswany nigdy nam nie zagrażali, ale przybysze i przejezdni, toteż znaleźliśmy się w prawdziwym niebezpieczeństwie. Musieliśmy się z tym pogodzić. Terroryści działający w Caprivi położyli kres naszej wolności. Ken Momson został ciężko ranny w czasie ich ataku, gdy przewoził barką sprzęt do Katimo. Musieliśmy uważać na każdym kroku, zaczęliśmy się czuć osaczani. Chłopcy mogli się dostać bezpiecznie do szkoły jedynie samolotem. Rozmyślaliśmy o konieczności zmiany.

W końcu postanowiliśmy opuścić Chobe głównie z powodu tęsknoty za dziećmi. Pewien mężczyzna z żoną często nas odwiedzał. Nigdy nie jeździł na polowania ani nie robił nic szczególnego w Chobe, ale odniosłam wrażenie, że siedlisko wpadło mu w oko. Przyglądał się, jak pracuję w biurze. Pewnego dnia zapytał mnie, czy nie chcielibyśmy sprzedać ośrodka.

— Nigdy! — odparłam.

Musieliśmy jednak przeprowadzić się w miejsce, w którym wszyscy będziemy bezpieczni. Lolly kupił farmę Buffelshoek sąsiadującą z Parkiem Narodowym Krugera. Jeździł tam z naszymi synami, by pracować przy budowie tam. Jedna z nich, wciąż istniejąca, nosi jego imię. Chłopcy lubili te wycieczki. Żyły tam ogromne stada zebr i antylop gnu. Zwierzęta wędrowały swobodnie, nie krępowały ich żadne ogrodzenia. Na tym terenie mieszkało wówczas niewielu ludzi. Zakup mnie nie zachwycił, uważałam go za stratę pieniędzy. Nie potrzebowaliśmy rezerwatu w Afryce Południowej, mieszkaliśmy w najwspanialszym miejscu na ziemi. Namawiałam Lolly'ego, żeby sprzedał farmę. Proponował ją swojemu bratu Clyde'owi, który kupił przedsiębiorstwo w Hazyview i miał tam dziesięć sklepów. Hazyview to małe miasteczko w ówczesnym Transwalu Wschodnim, który obecnie nosi nazwę Mpumalanga. Clyde powiedział, że jeśli Lolly przejmie jego inwestycję w Hazyview, on weźmie Buffelshoek. Uważałam, że prowadzenie sklepów przyniesie większy zysk; to był biznes, czyli coś, na czym się znałam.

W tym czasie nasz przyjaciel Derek Verster przekonał nas do kupna części pięciopokojowego domu w San Martino w Mozambiku. Odebraliśmy synów z Johannesburga, a później polecieliśmy naszym samolotem obejrzeć dom. Był ładny i naprawdę niedrogi, spędziliśmy tam wiele przyjemnych chwil z Derekiem i innymi przyjaciółmi.

Kiedy postanowiliśmy sprzedać siedlisko, Lolly poleciał do Johannesburga, by spotkać się z człowiekiem, który chciał je kupić. Okazało się, że ów mężczyzna jest pośrednikiem firmy Percival Tours. Przyleciał z Lollym do Chobe. Błyskawicznie odbyła się inwentaryzacja i nowi właściciele przejęli ośrodek.

Po naszym wyjeździe Kasane całkowicie zamarło. Kierownik został później deportowany. Uważaliśmy, że powody deportacji są nieprawdziwe, ale bez wątpienia stanowiły znak czasów.

Dobiwszy targu, wybraliśmy się statkiem na wyspę Mauritius z Januszem, Dawn, jej matką i siostrą oraz z bratem Lolly'ego. Było nas razem trzynaścioro. Z wielkim smutkiem opuszczaliśmy Chobe. Moja mama i ciocia Lila zostały przez pół roku w Kazangula. Rejs był piękny, przez pierwszą dobę nikt nie spał. Byliśmy zbyt zaaferowani jedzeniem smakowitych potraw i przepuszczaniem pieniędzy w kasynach.

Później zamieszkaliśmy na jakiś czas w Hazyview w Afryce Południowej. Byliśmy sporo winni za posiadłość w Hazyview, zrobiliśmy ogromny dług. Tym razem, o dziwo, bank wziął nas pod swoją opiekę. Mieliśmy do spłacenia mnóstwo pieniędzy, więc stanowiliśmy cennych klientów dla banku. Zapraszano nas na bankiety i dogadzano nam na różne sposoby. Chcieliśmy zbudować osiedle w Hazyview, ale nie bardzo umieliśmy się odnaleźć w tym środowisku — tak zwane smarowanie nie było naszą

Nasz piękny dom w Nelspruit

specjalnością. Przeprowadziliśmy się do Nelspruit i zamieszkaliśmy w pięknym piętrowym domu Clyde'a. Bardzo chciałam mieć taki dom. Zaciągnęliśmy pożyczkę, dodaliśmy trochę gotówki i odkupiliśmy go od Clyde'a. Byłam bardzo szczęśliwa, lecz w gruncie rzeczy nigdy nie przebolałam rozstania z Chobe.

Cudownie było mieszkać w Nelspruit razem z dziećmi.

Kiedy wyprowadzaliśmy się z Chobe, Lolly naturalnie chciał zabrać ze sobą całą kolekcję złomu. Zrobił kilka wypraw, żeby wszystko przywieźć, a ja natomiast za każdym razem wywalałam część żelastwa. Mimo to sporo skarbów mojego męża znalazło się w Nelspruit. Zakupiliśmy dom wraz z dużą ilością pięknych antyków. Uważałam, że w tak wspaniałym mieszkaniu złom Lolly'ego nie jest do niczego potrzebny.

Cieszyłam się, że znów jestem na łonie cywilizacji. Przyjemnie było iść do fryzjera, kiedy miałam na to ochotę, wypożyczać książki z biblioteki publicznej i uczęszczać na zajęcia jogi. Z początku czułam się bardzo samotna, gdyż nikogo nie znałam. Kiedy odwiedziła nas sąsiadka mieszkająca przy tej samej ulicy, była ubrana oficjalnie, miała na sobie kapelusz i rękawiczki. Pewnie uważała, że jesteśmy naprawdę bogaci, skoro mieszkamy w tak wspaniałej rezydencji. Mówiła po afrykanersku, angielskiego nie rozumiała. Trudno było nam się porozumiewać. Była jedyną sąsiadką, która zadała sobie trud odwiedzenia nas. Zabierałam synów do parku, siadywałam sama na ławce i obserwowałam ich. Czułam się niezręcznie, byłam osamotniona.

Sytuacja się zmieniła, gdy związaliśmy się z parafią. Poznaliśmy wielu ludzi, z którymi się zaprzyjaźniliśmy, moje życie towarzyskie nabrało rumieńców. Urządzaliśmy przyjęcia i często wychodziliśmy z domu.

Po wyprowadzce z Chobe Lolly przeżył lekkie załamanie nerwowe. Musiało to być dla niego dramatyczne przeżycie. Na pewien czas stracił wzrok. Byliśmy wówczas z dziećmi w Savuti. Bardzo się martwiliśmy o jego stan, to chyba naturalne. Specjalista twierdził jednak, że utrata wzroku ma podłoże nerwowe. Po czasie się zorientowałam, że mój mąż za bardzo na mnie polega, więc kiedy John Coleman zaproponował mu pracę przy odstrzale zwierząt, uznałam, że będzie lepiej, jeśli wyjedzie beze mnie. Jednakże Lolly nie chciał jechać sam. Spędziliśmy dwa tygodnie w namiotach nad rzeką Limpopo. Kiedy mężczyźni opuszczali obóz, dla ochłody siedziałam w rzece. Nie byliśmy przygotowani na przyjęcie gości, więc gdy niespodziewanie zjawili się znajomi, wpadłam w rozpacz, nie mając nawet co podać na śniadanie.

— Rozejrzyj się po okolicy, może znajdziesz strusie jajo — poprosiłam męża.

Udało mu się. Nakarmiłam około dwudziestu osób jednym jajkiem podanym z *biltong** i chlebem.

W drodze powrotnej mieliśmy wypadek. Jeździłam wówczas eleganckim kabrioletem, plymouthem. Lubię ładne rzeczy podobnie jak Janusz, ale w odróżnieniu od niego nie żyję ponad stan. Jeśli czegoś chcę i stać mnie na to, kupuję. Odwoziliśmy dzieci znad Limpopo do szkoły, Lolly jechał dość szybko. Był późny wieczór, nie zauważyliśmy antylopy kudu, która wyskoczyła tuż przed autem. Chłodnica została strzaskana, ale na szczęście nam nic się nie stało. Ktoś podwiózł nas do pobliskiej farmy, Lolly załatał jakoś samochód i zdołaliśmy dojechać do Johannesburga. Żal mi było auta. Spędziliśmy noc w motelu, a następnego dnia zawieźliśmy dzieci do szkoły.

Po powrocie do domu Lolly zaczął mi działać na nerwy. Nie miał nic do roboty, a kiedy próbował mnie pouczać, jak należy kroić cebulę, postanowiłam pozbyć się go z domu. Nasz przyjaciel Wally Durr prowadził agencję turystyczną organizującą safari w Parku Narodowym Krugera. Zaproponował Lolly'emu posadę kierowcy. Byłam zachwycona, wiedziałam, że nie będę miała go na swojej głowie, a on zajmie się czymś, co lubi. Nuda źle wpływa na mężczyzn.

Dobrze się czułam w Nelspruit. Zorganizowałam „klub książki", pochłonęła mnie szkoła, do której chodzili moi synowie, oraz ich drużyna skautów. Dyrektor poprosił, żebym zorganizowała i przeprowadziła dzień sportu; trzeba było przygotować posiłki dla około sześciu tysięcy osób. Naturalnie nie zrobiłam wszystkiego sama, bardzo pomogli mi inni rodzice. Było fantastycznie,

---

* suszone mięso w płatach

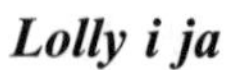

Lolly i ja

zebrałam wiele pochwał. Wykonywałam ochotniczo wiele prac na rzecz miasta i otworzyłam sklepik szkolny w szkole średniej w Lowveld, gdy Ian zaczął do niej uczęszczać. Pan Gray, dyrektor szkoły, wiele razy dziękował za zebrane pieniądze. Prowadząc sklepik, starałam się sprzedawać wyłącznie zdrową żywność. Sprowadzaliśmy świeże owoce od miejscowych farmerów, kładliśmy nacisk na pełnowartościowe jedzenie. Po moim odejściu wrócono niestety do *junk food**.

Wydaje mi się, że nawet za bardzo się zaangażowałam, byłam także wiceprzewodniczącą Child Welfare. Organizacją kierowała starsza pani o nazwisku Greathead. Miała chyba ponad sto lat, wszystkich doprowadzała do szewskiej pasji i w każdej sprawie chciała mieć ostatnie słowo. Była bogatą damą, właścicielką du-

* żywność tania, łatwa w produkcji, ale uboga pod względem dietetycznym

żych okolicznych farm. Kiedyś postanowiła wprowadzić na ten teren coca-colę, wynegocjowała więc umowę z człowiekiem zajmującym się importem napoju. Kiedy przyjechał z towarem, zapytała go o przekonania polityczne. Usłyszawszy, że należy do Partii Narodowej, a nie do Zjednoczonej Partii Afryki Południowej, odesłała go razem ze skrzynkami. Gdy zjawiała się na zebraniu, mrugaliśmy do siebie i siedzieliśmy cierpliwie, słuchając jej, i zgadzaliśmy się ze wszystkim, co mówiła. Jeśli ktoś jej się stawiał, dochodziło do awantury.

Wally'emu Durrowi zaproponowano dobrą posadę w południowoafrykańskiej radzie turystyki w Szwajcarii. Postanowił sprzedać agencję turystyczną w Nelspruit, a my kupiliśmy tę jej część, która zajmowała się organizowaniem safari. Nasi przyjaciele Ernest i Darlene weszli w posiadanie drugiej części. Nie chciałam się w to angażować, ale wolałam, żeby Lolly miał jakieś zajęcie. Rano zajmowałam się swoimi sprawami, biuro zaczynało funkcjonować po lunchu. Agencja przynosiła spore dochody. Wystarczały na opłacanie czesnego i choć obowiązywały wówczas sankcje wobec Afryki Południowej, a przemysł turystyczny na tym cierpiał, radziliśmy sobie nieźle. Jako zabezpieczenie trzymaliśmy w banku pieniądze ze sprzedaży Chobe.

Czułam się jeszcze całkiem młoda, dopiero skończyłam czterdzieści lat. Ktoś mi oznajmił, że nie powinnam być tak szczęśliwa, bo czterdziestka to okropny wiek, wszystko wtedy zaczyna boleć. Czekałam, aż to nastąpi, ale nic takiego się nie stało. Teraz się zacznie!, pomyślałam, skończywszy pięćdziesiątkę. Też nie. Ani po sześćdziesiątce. Cieszyłam się każdym dniem i żyłam pełnią życia. Nawet teraz, gdy mam ponad siedemdziesiąt lat, raduję się każdą chwilą. Choć szczerze powiedziawszy, gdy skończyłam siedemdziesiątkę, rzeczywiście zaczęło mnie trochę tu i ówdzie pobolewać.

Mama mieszkała z nami i pomagała w utrzymaniu domu i pięknego ogrodu. Przekroczywszy siedemdziesiątkę, zaczęła uprawiać jogę. Mama była bardzo pomocna, zaangażowała się w działalność Czerwonego Krzyża w Nelspruit, pamiętając, jak ta organizacja pomogła nam w Kazachstanie.

Chris był wierny sobie: trzymał węże w swoim pokoju i pytona, który miał własną klatkę. Pytona trzeba było rzecz jasna karmić, lecz na szczęście węże te zapadają zimą w sen. Kupował dla nich króliki, lecz moja mama nie mogła znieść myśli, że małe futrzaki mają być pożarte przez węża.

— Lolly, zrób coś, bo pyton zabije te maleństwa — błagała. — Nie mogę o tym myśleć.

— Nie wtrącaj się — odpowiadał mój mąż. — To nie twoja sprawa!

Jednakże pyton tak przyzwyczaił się do królików, że zwierzęta mieszkały razem, a on nic im nie robił. Wydaje mi się, że mama wymodliła dla nich specjalne traktowanie! Chris kupił świnkę morską, ale była to samiczka, która urodziła młode. Uznaliśmy, że nie można dać świnki pytonowi na pożarcie, gdyż małe muszą mieć opiekę matki.

Nasi synowie dorośli i odeszli z domu. Ian spędził trochę czasu w szkole rolniczej, a później na dwa lata poszedł do wojska. W wojsku panowała przemoc, odbywały się straszne obrzędy inicjacyjne. Pierwsze kilka miesięcy okazało się dla Iana bardzo nieprzyjemne. Zadzwonił do nas kiedyś, był w strasznym stanie. Pojechaliśmy do niego z Lollym i zamieszkaliśmy w przyczepie nad zatoką Sodwana, gdzie stacjonował; chcieliśmy spędzić weekend z synem i trochę podnieść go na duchu. To mu pomogło. Później Ian jakoś dawał sobie radę. Chris poszedł na Uniwersytet Pietermaritzburg, a potem również trafił do wojska i otrzymał stopień porucznika. Po odsłużeniu dwóch lat wyjechał do Pretorii studiować ochronę przyrody. W wojsku trzeba było wiele przejść, nie żałuję jednak, że chłopcy do niego trafili, bo dzięki temu nieco się zahartowali. Swobodne życie w Chobe nie przygotowało ich na wojskową dyscyplinę.

Po ich wyjeździe zaczęłam cierpieć na syndrom pustego gniazda. Jednego dnia dom był pełen mężczyzn, a następnego opustoszał. Wtedy rzuciłam się w wir działalności społecznej i dobroczynnej.

Dziesięć lat spędzonych w Nelspruit wypełniły zabawa i radość. Czułam się tam wspaniale, mieliśmy liczne grono przyjaciół. Wszystko było takie doskonałe! Powinnam była jednak wiedzieć, że w moim życiu nic nie może długo trwać w bezruchu.

CZĘŚĆ 4

Tshukudu

1980–obecne lata

Początek końca

Lolly, biały człowiek buszu i wagabunda, nie czuł się dobrze w mieście. Wizyty u znajomych i chodzenie na przyjęcia nie sprawiały mu przyjemności, więc zaczął jeździć po okolicy z dwoma przyjaciółmi, Juliem Ramponim i Willym Doyerem. Szukał ziemi, którą mógłby kupić, by stworzyć rezerwat dla zwierząt. Przez wiele lat był myśliwym, poczuł, że musi w jakiś sposób odpłacić się naturze. Chciał osiąść wśród zwierząt, gdzie mógłby znaleźć spokój i ukojenie. Wówczas nie traktowałam serio jego włóczęg, myślałam, że to przelotny kaprys, który minie. Jednak moje iluzje miały zostać rozwiane.

Eskapady Lolly'ego zaprowadziły go do Vaalwater, odosobnionego miejsca w części kraju zwanej obecnie Prowincją Północno-Zachodnią. Po powrocie do Nelspruit z trudem krył radość. Oznajmił nam, że znalazł farmę idealnie nadającą się do utworzenia rezerwatu zwierząt. Przebywał u nas wtedy nasz przyjaciel Derek, który wziął mnie na stronę i powiedział żartobliwie: „Wiesz, że w Vaalwater nigdy nie pograsz w brydża. Nikt tam nie słyszał o takiej grze, a mężczyźni wciąż noszą spodnie na szelkach. To będzie dla ciebie koniec świata. Dwa razy się zastanów, zanim zgodzisz się przenieść na to odludzie".

Rzecz jasna, tę przestrogę usłyszałam przed wielu laty, w Vaalwater wiele się od tego czasu zmieniło!

Derek odbył poważną rozmowę z moim mężem i wreszcie zdołaliśmy odwieść go od pomysłu kupienia farmy. Jednakże Lolly nie miał zamiaru odstąpić od swojego planu, chciał mieć wymarzone siedlisko. W czasie jednej z wycieczek dotarł do Prowincji Północnej, obecnie Limpopo. Zjeździł wszystkie interesujące tereny, trafił między innymi do Hoedspruit.

Pewnego dnia, wróciwszy z wycieczki, oznajmił, że znalazł swój wymarzony zakątek.

— To najpiękniejsze miejsce na ziemi — rzekł. — Nikt tam nie mieszka od lat. Dom należał kiedyś do prezydenta Diederichsa, po jego śmierci posiadłość została przejęta przez banki. Dom jest niezwykle piękny i można tam sporo zrobić. — Serce mi stanęło, wiedziałam, co będzie dalej. — Zabiorę cię tam i przekonasz się na własne oczy — obiecał Lolly.

I tak wyruszyliśmy w pierwszą wspólną podróż do siedliska, które miało się później nazywać Tshukudu. Składało się wówczas z trzech farm o nazwach Wiedeń, Paryż i Berlin. Geodeci ochrzcili je tak, gdyż pochodzili z Europy i sądzili, że w ten sposób przydadzą nieco kultury temu odludziu. Inne farmy na tym terenie nosiły podobne nazwy.

Nowe miejsce nie zrobiło na mnie dobrego wrażenia. Wszystko tonęło w brązach. Nie rosły tam zielone drzewa i bujne dzikie kwiaty, wszędzie stały sękate drzewa charakterystyczne dla buszu oraz ciągnęły się kępy kolczastych krzewów. Z traktów wzbijał się pył, tworząc gęste brązowe chmury. Jednym słowem, jak okiem sięgnąć, było to niegościnne, płaskie pustkowie. Kiedy jechaliśmy w stronę domu, mieliśmy majestatyczne góry za plecami, toteż nic nie łagodziło posępnego nastroju okolicy. Dom zaś okazał się nędzną ruderą. Rozpadał się, wszędzie widziałam ślady bytności szczurów, nietoperzy i innych okropnych stworzeń. Miałam dosyć. Wsiadłam do samochodu i wybuchłam płaczem.

— To nie dla mnie — powiedziałam. — Nigdy tutaj nie zamieszkam.

Powinnam była wiedzieć, że jeśli stosunek głosów wynosi trzy do jednego, nie mogę wygrać. Ian i Chris z całych sił poparli ojca. Miejsce ich zachwyciło. Obaj chcieli żyć w buszu tak jak tata, a to było idealne miejsce do spełnienia ich marzeń. Ian wyszedł już z wojska i pracował w prywatnym rezerwacie w Timbavati należącym do naszych przyjaciół.

Oto co opowiada o tej radykalnej zmianie stylu życia:

— Tata chciał wrócić do buszu. Miał także świadomość, że dzika przyroda Afryki jest niszczona, więc postanowił zrobić coś dla jej ratowania. Wydaje mi się, że gdy zobaczył to miejsce i zdołał kupić farmy, urzeczywistnił swoje marzenie. Mama nie chciała następnego trzęsienia ziemi, czuła się szczęśliwa w Nelspruit. Miała tam wielu przyjaciół i była bardzo związana z miastem. Znalazła w nim wszystko, czego kobieta może zapragnąć. Jednakże zawsze była gotowa na coś nowego.

Lolly wybrał się do banków, do których należały wierzytelności farm, i złożył ofertę. Był zdecydowany na wszystko w realizacji swojego ambitnego planu. Oprócz niego jeszcze sześć osób zainteresowało się zakupem. Usłyszawszy o tym, poczułam się bezpieczna, gdyż wydało mi się nieprawdopodobne, by nasza oferta przebiła inne. Lecz szczęście mi nie dopisało i Lolly zdobył swoje upragnione farmy. Ogłosił mi tę nowinę w moje urodziny, 6 czerwca 1980 roku.

Pracodawca Iana przywiózł go samolotem z Timbavati na przyjęcie urodzinowe. Dla Iana było to jak Gwiazdka połączona z urodzinami. Zrezygnował z posady i wprowadził się do „domu" na farmie. Wkrótce potem dołączył do niego Lolly. Ian zamieszkał w *rondawel* na tyłach starej chaty. Nie było tam elektryczności oraz innych udogodnień, lecz czuł się wspaniale, mimo że musiał gotować i prać, a także zajmować się innymi codziennymi sprawami w czasie rozbudowy farmy.

Należało zebrać fundusze. Mieliśmy pieniądze za siedlisko w Chobe, ale było ich o wiele za mało. Musieliśmy wystawić na sprzedaż naszą urokliwą piętrową rezydencję ze wspaniałym ogrodem. Musiałam pożegnać się z domem moich marzeń, choć myślałam, że spędzę w nim resztę życia. Kupiliśmy go za pięćdziesiąt tysięcy randów, a sprzedaliśmy za siedemdziesiąt pięć. Dziś jego cena rynkowa wynosi ponad dwa miliony. Należało także spieniężyć firmę, wyciągnąć pieniądze z funduszu emerytalnego i oszczędności. Niestety, nawet to nie pozwoliło pokryć ogromnego zadłużenia. Lolly zdawał się pogrążony w błogiej nieświadomości, nie zauważył mojego zaniepokojenia. Chciał po prostu się wyprowadzić i zamieszkać na zapadłej farmie.

Agencję Bushveld Safaris sprzedaliśmy firmie Magnum Airlines, z którą dzieliliśmy lokal. Poproszono mnie, żebym pracowała jeszcze przez pół roku, co bardzo mi odpowiadało! Myśl o przeprowadzce na farmę mnie przerażała; nie było tam nic, co by mnie pociągało. Nie mogłam w żaden sposób powiększyć naszych dochodów, a potrzebowaliśmy pieniędzy. Zakup farm uważałam za największe ryzyko, jakie kiedykolwiek podjęliśmy.

Posiadłość miała sześć tysięcy hektarów i trzeba było ją utrzymać. Zbudować drogi, naprawić pompy, oczyścić pasy antypożarowe i zorganizować wiele innych rzeczy. To była gigantyczna praca, a po nabyciu kawałka ziemi po drugiej stronie linii kolejowej należało postawić ogrodzenie i wznieść kilka budynków. Przez pierwszy rok pracowano wyłącznie nad podstawowymi rzeczami. Później, znacznie później, Ian zaczął przyciągać turystów. Dopiero po ośmiu latach stać nas było na zatrudnienie *game rangers*. W tamtych czasach ludzie niekoniecznie chcieli oglądać zwierzęta z tak zwanej wielkiej piątki, bardziej interesował ich busz.

Pierwotnie nasza farma rozciągała się poza tory kolejowe. Po trosze dlatego, że trudno było tam walczyć z kłusownictwem, a po trosze z konieczności spłacenia bankom długów postanowiliśmy ten kawałek odsprzedać. Kupiła go firma zajmująca się odłowem dzikich zwierząt, należąca do weterynarza Blackiego Swarta i Thuysa Maritza, byłego *game ranger* w Parku Narodowym Krugera. Założyli tam obozowiska. Les Carlisle, który pracował u Blackiego, zaprzyjaźnił się z Chrisem i Ianem. Ian znał Lesa z pracy w rezerwacie Timbavati, leżącym na zachodniej granicy Parku Narodowego Krugera, a także z czasów szkolnych w Nelspruit. Był zatrudniony w innej części Timbavati, ale łączyły ich wspólne przygody.

Ian lubi opowiadać o swojej pracy w Timbavati. Z pomocą Mike'a Heramba zarządzał obozowiskiem na trzydzieści pięć łóżek, a Les pracował w Motswari pod nadzorem innego kierownika. Kiedyś Ian i Mike postanowili urządzić wspólne przyjęcie urodzinowe. Wszyscy się zeszli, zabawa nabrała tempa, gdy nagle w pobliżu rozległy się ryki lwów. Mężczyźni postanowili przeszukać okolicę. Biegnąc do land-rovera, Mike potknął się o hienę, która stała z łbem wsadzonym do kosza na śmieci. Doszło do szamotaniny, Mike wyszedł z niej w o wiele gorszym stanie niż hiena. W końcu jednak dotarł do land-rovera i grupa wsiadła w pośpiechu. Jeździli po terenie, ale nigdzie nie zauważyli śladów lwów. Po powrocie na miejsce imprezy ujrzeli zwierzęta na betonowej płycie w garażu na tyłach posiadłości. Jeden z biesiadników postanowił zaproponować lwom puszkę piwa. Kiedy się zbliżył, wielkie koty rzuciły się w jego stronę. Nie pozostało mu nic innego, jak wycofać się pospiesznie do samochodu. Impreza toczyła się dalej, wszyscy się bawili, a w tym czasie lwy wyszły z garażu i ruszyły na północ. O drugiej w nocy przybysze z Motswari postanowili, że czas wracać do domu, bo rano muszą wstać do pracy. Les i jeden z jego kolegów przyjechali na imprezę motorami terenowymi, słychać było ryk ich silników, gdy znikały w buszu. Nagle za zakrętem ujrzeli cztery lwice z młodymi, zmierzające w ich stronę. Woleli nie przejeżdżać między nimi, gdyż lwice są niesłychanie agresywne, zwłaszcza gdy mają młode. Zawrócili, planując pospieszną rejteradę, lecz drogę zastąpił im ogromny lew. Uznali, że bezpieczniej jednak będzie przebić się przez grupę samic. Tak też zrobili, na szczęście im się udało.

Reszta grupy pojechała małym pick-upem. Rosłemu mężczyźnie imieniem George urwał się film, więc położono go na platformie, ale ze względu na jego wzrost stopy zwisały na zewnątrz. Trzech innych stłoczyło się w kabinie. Oni także w pewnym momencie znaleźli się pośrodku stada lwów. Wielki samiec przeszedł obok samochodu, otarł się o lusterko boczne i zobaczył faceta na platformie. Akurat w tym momencie George się obudził i spojrzał prosto w oczy lwa. Myślał, że ma halucynacje po alkoholu, ale po chwili uświadomił sobie, że nie śni. Zadudnił pięściami w okienko kabiny, wrzeszcząc:

— Hej, tu są lwy!

Tamci zanosili się śmiechem i dlatego nie mogli uruchomić auta. George'owi pozostało jedynie podciągnąć nogi i się modlić. W końcu dotarli bezpiecznie do celu, a George całkowicie wytrzeźwiał.

Pewnego dnia Ian, Andy i Rooker jechali do domu z jakąś Amerykanką. Zobaczyli na drodze dużego pytona, więc zatrzymali samochód i wysiedli, żeby złapać węża. Postanowili zabrać go ze sobą. Andy prowadził wóz, a Rooker trzymał schwytanego gada. Poczuł, że wąż się nie rusza. Zmartwił się, uznawszy, że ściskał za mocno i go udusił. Podniósł pytona, chcąc sprawdzić, czy żyje, a wtedy ten go ukąsił. Rooker wyskoczył z samochodu, krzycząc:

— To jadowity wąż. Czeka mnie śmierć!

Zaczął się tarzać po ziemi, a kobieta na serio się przeraziła. Wysiadła i pobiegła do obozu, żeby obudzić Pata Donaldsona, kierownika. Pat się wściekł. W pierwszej chwili chciał wyrzucić kawalarzy, ale później dostrzegł zabawną stronę zdarzenia. Ukąszenie pytona nie zagraża życiu, ponieważ wąż ten jest dusicielem.

Dzięki takim doświadczeniom Ian ciągle poznawał busz. Dobrze się bawił w towarzystwie wspaniałych ludzi — a zawsze uwielbiał zabawę — lecz także zrozumiał, co znaczy rozwaga w obliczu dzikiego zwierzęcia.

Działalność firmy, której sprzedaliśmy ziemię za torami, nie przynosiła zysku i bank dostał z powrotem swoją własność. Kupił ją Peter Milstein, autor wspaniałych książek o ptakach. Sprzedał ją później, a ziemia została podzielona na działki, na których powstał rezerwat.

Początki Tshukudu

Nasze trzy farmy leżały w odległości mniej więcej trzech mil od Hoedspruit. Przy stacji kolejowej była kawiarnia, w środku miasteczka znajdowała się poczta. Kiedyś, gdy wiozłam Chrisa i jego szkolną drużynę pływacką z Nelspruit na pokazy w Phalaborwa, przejeżdżałam przez Hoedspruit. Dzieci chciały się czegoś napić, gdyż dzień był nadzwyczaj upalny, więc zaczęłam rozglądać się za sklepem. Zajechaliśmy do kawiarni na dworcu, gdzie udało mi się kupić zimne napoje. Pamiętam, jak pomyślałam wtedy: Kto chciałby mieszkać w takim zapomnianym przez Boga miejscu?

Nie było tam absolutnie nic, wszystko wydawało się brudne. Skąd mogłam wówczas wiedzieć, że kiedyś będę mogła to miejsce nazwać swoim domem!

Po sprzedaniu posiadłości w Nelspruit trzeba było przewieźć wszystkie sprzęty na farmę. Oczywiście najpierw musiałam zrobić tam porządek, żeby w ogóle dało się mieszkać. Lolly w tym czasie postanowił iść na ryby.

Chłopcy także chcieli przeprowadzić się na farmę. Dla nich to był raj, dla mnie — piekło. Wypożyczyliśmy niewielką ciężarówkę i przewoziliśmy meble partiami. Dom w Nelspruit był ogromny i mieliśmy mnóstwo sprzętów, o wiele za dużo jak na chatynkę na farmie. Naprawdę nie wiem, jak przetrwałam ten okres. Wyprowadzka łamała mi serce, a perspektywa zamieszkania w dziczy wcale mnie nie nęciła. Miałam jednak zostać jeszcze przez jakiś czas w Nelspruit. Ustaliliśmy, że będę pracować od poniedziałku do czwartku, a weekendy spędzać na farmie. Na szczęście John Bescoby z Magnum Airlines zgodził się również, żebym w ramach pracy mogła reklamować farmę. W tym czasie jedyne, co mogłam reklamować, to posiłki dla grup turystów wyruszających na safari organizowane przez Bushveld Safaris; trasa prowadziła przez Park Narodowy Krugera do kanionu Blyde River. Oznaczało to, że musiałam spędzać na farmie jeden dzień i zadbać o wyżywienie. Przyjaciele bardzo mi wówczas pomogli. Jeździli ze mną, wkładaliśmy fartuchy i wspólnie zabieraliśmy się do gotowania. Do Nelspruit wracaliśmy późnym popołudniem. Turystom podobało się na farmie. Mieli okazję zobaczyć niemal dziewiczy zakątek Afryki, ale ja patrzyłam na wszystko z bólem. Była to dla mnie zapadła dziura z telefonami na korbkę. W każdym razie tak się to zaczęło.

Chris zakochał się w farmie od pierwszego wejrzenia. Spędzał tam tyle czasu, ile mógł, przy każdej okazji przyjeżdżając z bazy wojskowej w Pretorii. Przeprowadził się na farmę na stałe mniej więcej trzy lata po tym, jak ją kupiliśmy. Z początku spał w garażu, który służył również jako skład narzędzi.

Na farmie stał tylko jeden *rondawel*, który usiłowaliśmy wynajmować. Pierwszymi gośćmi było dwoje ludzi, którzy przyszli do biura w Nelspruit i chcieli zarezerwować na weekend kwaterę

Kilka lat później Lolly wciąż lubił się oddawać swojej ulubionej pasji, wędkowaniu

w Parku Narodowym Krugera. To był długi weekend, w obozach w parku brakowało wolnych miejsc. Dzwoniłam do różnych ośrodków w okolicy, ale niczego nie znalazłam. W końcu powiedziałam:

— A może chcieliby państwo zanocować w niedawno otwartym, małym prywatnym ośrodku? Jest tam tylko skromny *rondawel* i niewiele zwierzyny, ale będą państwo mieli okazję spędzić wieczór przy ognisku w buszu i cieszyć się naturą w najlepszym wydaniu. — Nie wspomniałam o tym, że farma należy do mnie i że jej nie znoszę!

Mężczyzna pracował w firmie naftowej w Maputo w Mozambiku, jego żona miała na imię Yvonne. O dziwo, zdołałam ich namówić i przyjechali na farmę. Kiedy się meldowali, zwrócili uwagę na nazwisko Sussens. Coś im się skojarzyło, więc facet zapytał żonę, gdzie słyszeli to nazwisko.

— Jestem pewna, że tak nazywała się pani, która zaproponowała nam nocleg tutaj.

Rzecz jasna, pani Sussens zjawiła się we własnej osobie, żeby przygotować gościom posiłek! Zaprzyjaźniliśmy się, odwiedzali nas wielokrotnie. Niestety, mąż Yvonne zmarł, a ona wróciła do ojczyzny, Norwegii.

Głównym budynkiem na farmie był ten, który wciąż wykorzystujemy jako schronisko. Początkowo mieściły się w nim trzy sypialnie, mała jadalnia i maciupeńka kuchnia. Nie było salonu. Później zamieniliśmy sypialnie na salon. W weekendy, kiedy nie było gości, pomagałam łatać chatę. Często była to ciężka praca fizyczna.

Rondawel wciąż stoi na swoim miejscu. Rzadko z niego korzystamy, bo nie ma stamtąd dobrego widoku, ale przydaje się, kiedy musimy przenocować rodzinę.

Cała farma zanurzona jest w historii. Prezydent Diederichs kładł się ponoć na leżance przed *rondawel* i podziwiał gwiazdy. Pewnie marzył o wspaniałej przyszłości tego miejsca po tym, jak w Hoedspruit powstała baza sił lotniczych.

W *rondawel* mogły się zmieścić cztery osoby, lecz czasem miewaliśmy tylko jednego gościa. Jednakże bez względu na to, ilu ich było, siadywaliśmy wieczorami w *boma** i zabawialiśmy ich opowieściami. Była tam zaledwie garstka zwierząt do oglądania, tylko te, które przywędrowały z sąsiednich rezerwatów pozbawionych odpowiedniego ogrodzenia.

Przyjaciele pytali, czy mogą mi jakoś pomóc. Na Tinę i Ritę mogłam liczyć przy szykowaniu posiłków. Dzięki nim również nie podróżowałam samotnie na farmę i z powrotem. Kiedy jeź-

---

* ogrodzone miejsce, w którym spożywa się kolację pod rozgwieżdżonym niebem przy tradycyjnym ognisku, mając możliwość obserwowania zwierząt żerujących nocą

działam sama, czułam się całkowicie bezpieczna, ale dobrze było mieć towarzystwo.

Kierownictwo Magnum Airlines zwróciło się do mnie z prośbą, żebym popracowała trochę dłużej. Wciąż borykaliśmy się z brakiem pieniędzy, a wyższa pensja stanowiła wielką atrakcję, więc się zgodziłam. Mój tydzień pracy zaczynał się zwykle o czwartej rano w poniedziałek, kiedy wyjeżdżałam z farmy do Nelspruit. Odległość wynosi sto dziesięć mil, pokonanie jej zabierało dwie i pół godziny. Mieszkałam w pokoiku koło basenu w domu przyjaciółki. Connie van Wyk zaproponowała mi to lokum i choć było bardzo wygodne, nie czułam się zadowolona. Straciłam dom, nienawidziłam farmy, znalazłam się z dala od rodziny i miałam złamane serce. Z ledwością panowałam nad sytuacją.

Nadszedł czas, by otworzyć ośrodek dla turystów spragnionych widoków dzikiej zwierzyny. Mieliśmy wielkie marzenia i uświadomiliśmy sobie, że najlepiej będzie, jeśli zdołamy zainteresować farmą zarówno krajowych, jak i zagranicznych turystów.

Brakowało nam pieniędzy na postawienie nowych zabudowań, ale nasz stary przyjaciel Pat French, znajomy jeszcze z czasów przed naszym ślubem, zapytał, czy może zbudować sobie *rondawel*, w którym by nocował, kiedy nas odwiedzi. Dzięki temu mogliśmy zaoferować gościom sześć łóżek, pojawiła się więc szansa na dodatkowy zarobek. Za drugi domek zapłacił Seun Beneke, którego uważamy za członka rodziny; odwiedza nas dwa lub trzy razy do roku. Wiele lat później stanął ostatni domek ufundowany przez Eda Baileya z Ameryki. Ed jest paraplegikiem*, zwiedził wszystkie ośrodki w regionie, był w Botswanie i Caprivi. On i jego żona

---

* osoba z porażeniem obu kończyn dolnych

Gloria uwielbiają Afrykę. Pewnego razu ktoś polecił im nasze schronisko. Nie mieliśmy żadnych udogodnień dla wózków, toteż Gloria i Ed zabawili tylko kilka dni. Spodobało im się, następnym razem spędzili u nas tydzień, później przyjechali na dwa tygodnie, a wreszcie na miesiąc. Zapragnęli lepszych warunków, poprosili więc nas o zbudowanie domku przystosowanego dla osoby na wózku. Byli gotowi za niego zapłacić. Przyjeżdżają od lat, mają wielu przyjaciół wśród naszych stałych gości. Pewnego razu spędzili u nas siedem miesięcy. Ostatnio Gloria przybyła w towarzystwie Pat Tweedie, regularnego gościa Tshukudu. Ed, niestety, miał nieprzyjemny wypadek, gdy prowadził swój samochód dla niepełnosprawnych. Odniósł poważne obrażenia i ostatnimi czasy nie mógł nas odwiedzać. Wciąż ma nadzieję, że pewnego dnia znów do nas zawita.

Los nam sprzyjał, agencja Bushveld Safaris postanowiła włączyć naszą farmę do swojego pakietu wycieczek po rezerwatach przyrody. Goście mieli spędzać jedną noc w Parku Narodowym Krugera, a jedną u nas, potem jechać do kanionu Blyde, nocować w Cybele, a następnie wracać do Nelspruit. Wielu spośród tych, którzy odbywali te wycieczki, wracało do nas później i zostawało naszymi bliskimi przyjaciółmi.

Na farmie było bardzo niewiele zwierząt, kiedy ją kupiliśmy. Prezydent Diederichs nie był złym człowiekiem, ale miał syna lubiącego strzelać do wszystkiego, co się poruszało. Nawet niektóre drzewa nosiły ślady ostrzeliwania. Po przybyciu na farmę zastaliśmy magazyn pełen haków rzeźniczych i stosy sprzętu myśliwskiego. Zostało zaledwie parę żyraf, antylop kudu i impala. Później odkryliśmy również około trzydziestu dzikich psów, były wśród nich szczenięta, które sprawiły nam mnóstwo radości. Z Parku

Narodowego Krugera i innych sąsiednich prywatnych rezerwatów przywędrowywały lwy i inne zwierzęta.

Nawet po upływie pół roku farma wciąż jeszcze nie zarabiała na siebie. Ian naprawił drogi, a moja mama przyjechała, żeby przez jakiś czas nam pomagać, lecz bez pieniędzy nie mogliśmy przystąpić do realizacji naszych planów. Zbudowaliśmy jedynie basen. Farma leży na skalistym podłożu pokrytym cieniutką warstewką gleby. Mniej więcej dwa lub trzy lata po rozpoczęciu przygody w Tshukudu Chris postanowił zbudować basen. Chłopcy zaczęli kopać dół i okazało się, że tuż pod ziemią zaczyna się lita skała. Chris służył w jednostce inżynieryjnej, toteż nauczył się posługiwać środkami wybuchowymi. Zbudował urządzenie potrzebne do wysadzenia fragmentu gruntu. W zagłębieniu miał powstać basen. Umieścił w ziemi ogromny ładunek i obłożył to miejsce oponami, żeby zapobiec fruwaniu odłamków. Eksplozja była tak silna, że skały rozprysły się na wszystkie strony. Opony niewiele pomogły, wylądowały na dachu garażu wraz z masą gruzu. Powstała spora dziura, lecz niewystarczająca na basen. Trzeba było zbudować mury, żeby uzyskać odpowiednią głębokość. Chcieliśmy, żeby basen był odpowiednio duży, gdyż latem temperatura bywa bardzo wysoka i tylko głębokość wody pozwala utrzymać chłód.

Pożegnalny dar Janusza

Przed wyjazdem na stałe do Australii Janusz podarował mi kilka rzeczy. Jedną z nich było dwuosobowe łóżko wodne.

Mniej więcej w tym samym czasie Lolly zajmował się eksportem zwierząt z okolicznych farm do ogrodu zoologicznego na Tajwanie, między innymi słoni. Po powrocie opowiadał mi o poznanych tam ludziach i o tym, że chce ich ściągnąć do Afryki Południowej, by mogli zobaczyć zwierzęta w ich naturalnym środowisku. Myślałam, że chodzi o dwie osoby — w sam raz, gdyż mieliśmy wówczas dwa *rondawel* i chatę — lecz Lolly wyprowadził mnie z błędu, mówiąc, że spodziewa się czternastu. Nie mogłam zakwaterować tylu ludzi naraz, wynajęłam więc specjalny samochód na safari i zarezerwowałam dla gości siedem miejsc w Parku Narodowym Krugera; pozostała siódemka miała zamieszkać z nami, a po kilku dniach grupy miały się wymienić. W dniu wymiany wszyscy spotkali się na lunchu w Tshukudu. Posiłek przypadł wszystkim do gustu, ale nieco się zaniepokoiłam, gdy jeden z turystów podszedł do mnie i oznajmił, że nikt nie chce

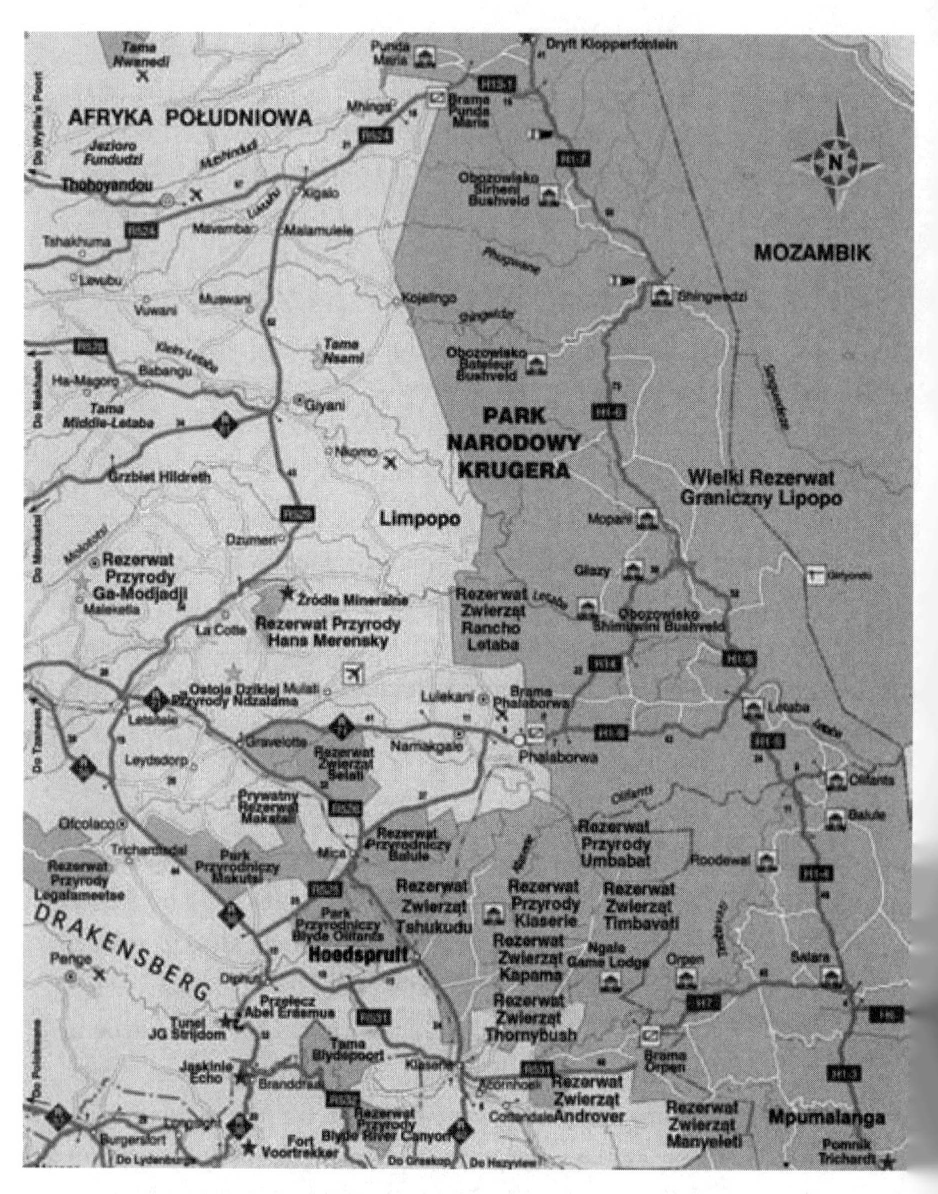

Rezerwat Tshukudu jest wspaniale położony, gdyż przylega do Parku Narodowego Krugera

jechać do Parku Krugera, obie grupy pragną zostać w Tshukudu. Odparłam, że nie będzie to możliwe. Nie miałam wystarczającej liczby łóżek i już zarezerwowałam miejsca w parku.

— Nic nie szkodzi — usłyszałam. — Będziemy spali na podłodze.

Lolly zapewnił mnie, że turyści ani myślą jechać do parku.

— Zostaną bez względu na to, co powiesz. Uparli się i nie zmienią zdania!

Zaczęłam gorączkowo myśleć. Sześciu mogło spać w domu, bo miałam podwójne łóżko, które można było wystawić na werandę. Czwórka mogła spędzić noc na łóżku wodnym, które otrzymałam w darze od brata. Goście byli drobnej postury, a materac ogromny. Uśmiechnęłam się na myśl o czterech dżentelmenach z Tajwanu kołyszących się na łóżku wodnym. Wszyscy goście zostali i byli zadowoleni.

Po wizycie Tajwańczyków Chris upomniał się o łoże. Wkrótce się rozpadło, ale na szczęście nie wtedy, gdy wypoczywali na nim goście z Tajwanu!

Ci, którzy trafili do naszego ośrodka, wracali po wielokroć. Jednym z takich gości była Pat Tweedie, która przyjeżdżała dwa razy do roku i odwiedziła nas ponad trzydzieści razy. Kiedyś opowiedziała mi o jednym ze swoich pobytów. Pewnego ranka przebudziła się i zdziwiła, że choć zasłony są podciągnięte, w środku jest ciemno. Światło wpadało z drugiej części pokoju, nie mogła więc zrozumieć, na czym to zjawisko polega. Wstała i po chwili uświadomiła sobie, że ogromny słoń zajada kwiaty dokładnie naprzeciwko okna, odcinając dopływ światła do pokoju. Pat zmarła w 2004 roku, lecz tytuł niniejszej książki nawiązuje do jej opowieści, a pamięć o niej będzie żyła w nas zawsze. Upamiętniliśmy ją także w nagraniu wideo zrobionym w Tshukudu.

Wydaje mi się, że zakochałam się w Tshukudu, gdy farma zaczęła przynosić dochody. Minęło wiele lat, zanim mogłam przestać martwić się o finanse. Pierwsza dekada była najcięższa, ale dała nam wiele przyjemności. Trafiali do nas ludzie, którzy kochali busz.

Żyrafa Jerry

Ian pamięta przybycie Jerry'ego do Tshukudu: polowano wtedy na żyrafy. Strzelano do nich pociskami usypiającymi, a potem sprzedawano dla bardzo wówczas potrzebnego nam zarobku. Na farmie było mnóstwo żyraf. Uśpione zwierzęta wnoszono do specjalnej ciężarówki i przewożono do nowego domu. Tropiąc zwierzęta, myśliwi natknęli się na lwy żerujące na upolowanej żyrafie. W pewnej odległości od tego miejsca zauważyli noworodka, który ledwo trzymał się na nogach. Lwy wykorzystały osłabienie matki po porodzie. Ian zabrał młode do Tshukudu. I tak Jerry wkroczył w nasze życie.

Naturalnie trzeba go było karmić! Ian wziął na siebie opiekę nad oseskiem. Używał dwulitrowej butelki po coca-coli ze smoczkiem, a Jerry był karmiony co dwie godziny w dzień i w nocy. Ian poznał, czym jest „macierzyństwo". Wyglądał dokładnie tak jak wycieńczona młoda matka, która musi karmić dziecko bez względu na porę! Pamiętam jego ciemne kręgi pod oczami, a poruszał się niczym zombi. Rzecz jasna, poza tym musiał wykonywać swoje zwykłe obowiązki.

Żyrafy trudno się hoduje. Kiedyś w czasie weekendowego pobytu w Tshukudu zobaczyłam, jak okropnie wygląda mój syn.

— Idź się przespać, zaopiekuję się Jerrym — zaproponowałam. Próbowałam nakarmić go z butelki, ale bez skutku. Pomyślałam, że to niepraktyczne. Napełniłam miskę mlekiem i Jerry natychmiast zaczął chłeptać. Życie od razu stało się łatwiejsze. Od tej pory Ian też karmił młodą żyrafę z miski.

Jerry był naszą pierwszą sierotą w Tshukudu, po nim przyszło wiele innych. Wszyscy kochali Jerry'ego, a on lubił przebywać wśród ludzi. Miłośnicy zwierząt uwielbiają żyrafy. Jerry stojący na drodze i witający gości był strzałem w dziesiątkę. Samochody musiały się zatrzymywać, ponieważ Jerry ani myślał ustępować. Podchodził do pojazdu, wsuwał głowę do środka i każdego obwąchiwał. Szczególnie lubił dzieci. Słysząc je, zawsze wychodził się z nimi przywitać.

Pewnego razu jeden z naszych znajomych przyjechał małym terenowym samochodem Suzuki, a na tylnym siedzeniu siedział robotnik. Auto miało płócienny dach. Jerry wsunął pod niego głowę, żeby obwąchać mężczyznę. Ten pospiesznie przesunął się na drugą stronę. Zwierzę obeszło pojazd i wsunęło głowę z drugiej strony. Robotnik powtórzył manewr. Jerry chciał wyciągnąć głowę ze środka, ale zahaczył różkami o płócienny dach i próbując wyprostować szyję, poderwał samochód do góry. Mężczyzna pomyślał, że żyrafa chce przewrócić auto, wyskoczył więc, drąc się jak opętany. Biedny Jerry był bardzo zaskoczony. Chciał tylko przywitać się z przybyszem, a ten narobił strasznego rabanu.

Od czasu jak zamieszkałam w Tshukudu, często zapraszałam przyjaciół na brydża. Znajomi, z którymi grywałam w karty, ubóstwiali Jerry'ego. Był naprawdę uroczy i nigdy nikomu rozmyślnie nie wyrządziłby krzywdy, lecz jeśli ktoś przed nim uciekał, uważał to za zabawę i rzucał się w pogoń. Kiedyś podszedł do June Coppen, żeby ją obwąchać. June się przestraszyła i schowała za krzakiem. Żyrafa ruszyła za nią. June wpadła w panikę.

— Ratunku! — krzyczała. — Jerry mnie goni!

Pobiegliśmy jej na pomoc.

Syn June, Keith Coppen, niezwykle barwna postać, długo trudnił się odławianiem zwierząt. Latał samolotem rodezyjskich sił powietrznych. Był wielkim śmiałkiem, wiele razy go postrzeliwano, ale był też fenomenalnym pilotem. Kiedyś, gdy Ian i Keith lecieli helikopterem w czasie łowów, doszło do awarii silnika. Keith wylądował na drzewie marula. Innym razem przyleciał do nas i wylądował tuż za domem Iana, a był tak zalany, że wypadł z helikoptera. Jerry podszedł do leżącego na ziemi pilota i pochylił się nad nim. Keith podniósł głowę i powiedział:

— Cześć Jerry! Jak się masz?

Objął rękoma głowę Jerry'ego, a on uniósł go. Keith był pijany, więc nie mógł za długo utrzymać tej pozycji, rozwarł ręce i runął na ziemię.

— Mam nadzieję, że wytrzeźwiałeś — rzekł Ian, podbiegając. — Bo jeśli nie, to nie odlecisz.

— Wpadłem tylko na piwo — odparł Keith. — Nic mnie tak nie otrzeźwi jak jeden mały browarek.

Wszedł do domu, wziął sobie piwo, wypił i wskoczył z powrotem do kabiny, gotów do odlotu. Zatroskany Ian zapytał:

— Jak, u licha, możesz wiedzieć, dokąd lecisz, skoro jesteś taki urżnięty?

Keith odpowiedział:

— Moja maszyna zna drogę do domu. — Z tymi słowy odleciał do Mica, gdzie wówczas mieszkał.

Kilka miesięcy później w czasie łowów na nosorożca na innej farmie Keith zginął w katastrofie spowodowanej awarią helikoptera. Przykro nam było z powodu utraty tak wspaniałego przyjaciela.

Tego dnia June grała z nami w brydża w Coach House. To było niesłychanie smutne. Ojciec Keitha przechadzał się po plantacji bananów w Tzaneen, gdy usłyszał przez radio o śmierci syna.

Mark, inny bliski przyjaciel Chrisa, miał tylko jedną nogę. Studiowali w tym samym czasie w Pretorii. Mimo kalectwa, a może dzięki temu, żył na całego. Stracił nogę na skutek wypadku motocyklowego. Została złamana, a z powodu zaniedbania wdała się w nią gangrena i trzeba było amputować. Mark się zbuntował i cztery razy uciekał ze szpitala. Znajdowano go i zabierano z powrotem. Chłopak radził sobie z nieszczęściem w ten sposób, że pchał się w najgorętsze ogniska wojny terrorystycznej. Później opamiętał się i postanowił znaleźć sobie pracę w ochronie przyrody. Dzięki temu poznał Chrisa i Lesa.

Pewnego razu podczas lunchu Ian, Les i Mark usłyszeli, że Jerry zrywa się i pędzi drogą. Nie mieli pojęcia, co się dzieje. Okazało się, że jeden z łowców zwierząt postanowił sprawdzić, czy zdoła ujeździć Jerry'ego. Les i Keith podejmowali wcześniej tego rodzaju próby, chcąc zobaczyć, jak długo utrzymają się na Jerrym, lecz zwierzę wierzgało i zrzucało ich na ziemię. Mark na jednej nodze wdrapał się na słup i spuścił się na grzbiet Jerry'ego, gdy ten przechodził tuż obok. Jerry nawet pozwolił mu się przejechać na swoim grzbiecie, a potem spokojnie zejść. Kiedy łowca to zobaczył, także postanowił spróbować dosiąść żyrafy. Poszedł w ślady Marka, wspiął się na słup, a gdy Jerry cwałował tuż koło niego, skoczył mu na grzbiet. Jerry ruszył z ogromną prędkością, mężczyzna przeraził się, myśląc, że żyrafa nigdy się nie zatrzyma.

Postanowił zeskoczyć, wylądował na twardej ziemi i na moment stracił oddech.

Kręcenie zdjęć do filmu *Jock z buszu* częściowo odbywało się w Tshukudu. Pewnego dnia ekipa zrobiła sobie wolne, gdyż były problemy z psem Jockiem. Treserzy psa i aktor Jonathan Rand postanowili wykorzystać czas na ćwiczenia. Jeździli wozem od schroniska do stawu i z powrotem, a pies musiał spacerować z Jonathanem. Siedziałam z moją przyjaciółką Rosemary, która pomagała mi gotować posiłki, i obserwowałyśmy ten występ. Zobaczyłyśmy, że za wozem podążają Jerry, Ronnie Reagan (antylopa kudu), Pik Botha (antylopa szabloroga*) oraz Maggie Thatcher (guziec). Wóz zawrócił i wszystkie cztery zwierzaki podążyły jego śladem. Cóż to był za nadzwyczajny widok!

Ekipa filmowa zabawiła w Tshukudu dziesięć dni. Gdy przenosili się w inne miejsce, poprosili mnie, żebym zajęła się cateringiem na tamtym terenie. Nie zgodziłam się, gdyż brakowało nam personelu, a żywienie ekipy wymagałoby mnóstwa pracy. Filmowcy zwrócili się do Rosemary z prośbą, żeby mnie namówiła.

— Przestań — powiedziałam do niej. — Nie chcę o tym słyszeć.

— Daj się uprosić, Ala — przekonywała Rosemary. — Pomogę ci. Duncanowi bardzo na tobie zależy, zwłaszcza że ma w ekipie wielu wegetarian, którym bardzo smakowały twoje potrawy.

Nie dawała mi spokoju, dopóki nie wyraziłam zgody. Do końca dni zdjęciowych, czyli przez mniej więcej miesiąc, przygotowywałyśmy jedzenie i zawoziłyśmy tam, gdzie akurat stacjonowali filmowcy.

---

* nazywana też czarną

Smutek i wesele

Dwie młode Szwajcarki, Sylvia i jej przyjaciółka Heidi, zjawiły się pewnego dnia w biurze w Nelspruit. Przybyły do Afryki Południowej na wakacje i chciały zarezerwować wycieczkę do Parku Narodowego Krugera. Mogłam im zaproponować zwiedzanie parku z grupą Niemców, lunch w Tshukudu, a potem przejazd do kanionu Blyde. Nie chciały jechać do kanionu, bo przeszły już ten szlak, chodziło im tylko o dotarcie do parku.

— Możecie pojechać do parku z grupą turystów, mój mąż Lolly będzie kierowcą — zaproponowałam. Lolly czasem pomagał, kiedy zabrakło przewodników. — Pojedźcie na lunch do Tshukudu, ja też tam dotrę — dodałam. — Jak będę wracać do Nelspruit, mogę was podwieźć.

Dziewczyny zgodziły się bez wahania.

Jak zwykle pojechałam do Tshukudu z przyjaciółkami, żeby ugotować i podać lunch. Spożywaliśmy posiłki pod wielkim drzewem, gdyż nie mieliśmy wówczas werandy. Tego dnia byli tam Ian i Les Carlisle.

Sylvia z Jerrym

— Nie wracamy dzisiaj do Nelspruit — oznajmiła nagle Sylvia.

— Postanowiłyście jednak jechać do kanionu? — zapytałam.

— Nie — odparła Sylvia. — Pani mąż zaproponował, żebyśmy tutaj zostały przez jakiś czas.

Chyba nie muszę dodawać, że od razu wzbudziło to moje podejrzenia! Pomyślałam, że dziewczęta zostają nie po to, by zwiedzać Tshukudu, lecz po to, by spędzić więcej czasu w towarzystwie Iana i Lesa. Wróciłam do Nelspruit bez nich.

Les Carlisle zainteresował się Heidi, która była atrakcyjną drobną dziewczyną. Zaproponował Ianowi, żeby wybrali się z nimi na wycieczkę motorami i pokazali, jak się odławia zwierzęta. Ian, który był bardzo nieśmiały, nie czuł się pewnie wśród dam. Jednakże ta wycieczka zapoczątkowała wiele podobnych, jeszcze przyjemniejszych wypadów, jak na przykład przejażdżka nocna przy blasku księżyca. Romans kwitł. Nie wiedziałam o tym wówczas, lecz Ian pokazał Sylvii miejsce, w którym będą mogli kiedyś zbudować dom. Wszystko przebiegało błyskawicznie. Dziewczęta pokochały zwierzęta, choć, rzecz jasna, nie tylko czworonogi stały się obiektami uczuć obu dam. Sylvia i Heidi zostały w Tshukudu i z przyjemnością obserwowały zwierzaki z motorów.

Potem udały się do Zimbabwe. Zaproponowałam, żeby przyjechały ponownie na Boże Narodzenie. Ochoczo się zgodziły. Po powrocie do Szwajcarii Sylvia, nie tracąc czasu, postarała się o pozwolenie na pracę w Afryce Południowej. Znalazłszy się w naszym kraju, zgłosiła się na obowiązkowy półroczny kurs dla pielęgniarek, dzięki czemu mogła znaleźć zatrudnienie w południowoafrykańskich szpitalach. W tym czasie wciąż pracowałam w Nelspruit, więc często jeździłyśmy razem do Tshukudu. Później kupiła sobie volkswagena garbusa i zyskała niezależność.

Po przyjeździe Sylvii do Afryki Południowej mogli się lepiej poznać z Ianem. Spędzała jak najwięcej czasu w Tshukudu i świetnie się razem bawili, między innymi spływając rzeką na dętce obok sadzawek, krokodyli i hipopotamów.

Pewnego dnia byłyśmy razem w Tshukudu, ale każda z nas przyjechała swoim samochodem. Zaproponowałam, żeby wróciła razem ze mną, to jednak jej nie odpowiadało, bo chciała zostać nieco dłużej. Wydaje mi się, że jadąc sama z powrotem, usnęła za kierownicą i garbus dachował. Na szczęście nic jej się nie stało, ale samochód był poważnie uszkodzony. Ian w tym czasie uczęszczał na półroczny kurs mechanika w Bloemfontein. Nie zależało mu na tym szkoleniu, gdyż oznaczało to rozstanie z Sylvią, ale nie dawałam za wygraną. Wiedziałam, że kurs mu się przyda, bo w Tshukudu czerpaliśmy prąd z generatorów, które często się psuły, a poza tym zawsze jakiś samochód wymagał naprawy. Potrzebny nam był mechanik. W ramach sprawdzianu umiejętności Ian postanowił zreperować volkswagena Sylvii. Spisał się dobrze i zaliczył egzamin. Nie można wykluczyć, że było to jego ukochane zajęcie. Wybrali się do Szwajcarii, aby przedstawić Iana rodzinie dziewczyny. Wiedząc, jaki jest nieśmiały, Sylvia zaproponowała:

— Skoro już tu jesteśmy, może powinieneś poprosić rodziców o moją rękę?

Zaręczyli się i po przybyciu do Afryki Południowej rozpoczęli przygotowania do ślubu.

Gdy ogłosili swoje zamiary, postanowiłam na dobre przeprowadzić się do Tshukudu. Przyjeżdżali do nas regularnie goście z Nelspruit, więc zdecydowaliśmy się na budowę drugiego *rondawel*. Jego koszt wynosił wówczas około ośmiu tysięcy randów. Pożyczyłam siedem tysięcy na ogrodzenie, które miało oddzielić naszą posiadłość od sprzedanej części po drugiej stronie torów. Wciąż mieliśmy ogromne długi, zatem odsprzedaliśmy jeszcze kawałek ziemi. Wreszcie pozbyliśmy się zadłużenia. Ale nasze dochody były niewielkie po mojej rezygnacji z pracy w Nelspruit.

Mieszkaliśmy w Nelspruit w sumie dziesięć lat, zanim kupiliśmy farmę. W 1983 roku, mając na widoku ślub syna, zamieszkałam na stałe w nowym domu.

Kiedy wyjechałam z Nelspruit, mama przeniosła się do domu spokojnej starości, ale dużo czasu spędzała w Tshukudu. Pewnego

Jerry częstuje się przybraniem jeepa

dnia wieczorem, gdy u nas była, postanowiłam zaprosić na brydża dwoje przyjaciół. Mama poczuła się słabo, więc zasugerowałam wizytę u lekarza. Jednakże stwierdziła, że nie jest aż tak chora.

Nazajutrz rano poszliśmy z Chrisem na spacer i po drodze zajrzeliśmy do niej. Oznajmiła, że czuje się o wiele lepiej i z radością zagra wieczorem w brydża. Wyszła nazrywać kwiatów. Wróciwszy do domu z kwiatami, nagle osunęła się na podłogę. Lolly zaniósł ją do łóżka, ale gdy wróciłam ze spaceru, czekała na mnie smutna wiadomość: mama odeszła. Zmarła na atak serca. A z taką radością czekała na ślub Iana, który miał się odbyć za cztery tygodnie. Nawet zaprojektowała dla siebie sukienkę. Miała siedemdziesiąt osiem lat, a wciąż była nadzwyczajną damą. Wszyscy ją kochali. Jej życie było trudne. Zawsze stanowiła dla mnie wzór, choć obawiam się, że jestem troszkę materialistką, którą ona nigdy nie była. Muszę wiedzieć, że mam pieniądze na wygodne życie w przyszłości. Mama natomiast oddałaby wszystko innym, gdyby uznała, że są w większej potrzebie niż ona. Była świętą kobietą. Chciała, żeby pochować ją w Tshukudu, lecz wszyscy jej przyjaciele oraz ksiądz byli w Nelspruit, więc zdobyliśmy pozwolenie i tam złożyliśmy jej ciało.

Mieliśmy wówczas gości w Tshukudu, ale nie byłam w stanie się nimi zająć. Anne i Tony Morgan przyszli nam z pomocą.

Rano w dniu pogrzebu przyjechali Lesley i Mark. Wyglądali okropnie, mieli na sobie niechlujne ubrania, na nogach pantofle motylki, a na szyjach czarne krawaty.

— Babcia chciała, żebyśmy właśnie tak wyglądali — usłyszałam od nich. Oczywiście tylko żartowali, żeby podnieść mnie na duchu przed pogrzebem.

Lesley wygłosił w czasie pogrzebu piękną mowę na cześć mojej mamy. Nazywał ją swoją przybraną babcią. Mogłabym o niej opowiadać godzinami. Bardzo dużo wycierpiała. Zesłano ją na Syberię, gdy była studentką, a potem drugi raz, gdy już miała dzieci do Kazachstanu. Rozstanie mamy i ojca trwało osiemnaście lat. Wszystkie te tragedie pozostawiły po sobie bolesne ślady, lecz nigdy nie poddała się rozgoryczeniu. Zachowała pozytywne nastawienie do życia.

Uznałam, że odwoływanie ślubu to zły pomysł. Zaproszenia zostały rozesłane, rodzina Sylvii już zarezerwowała bilety lotnicze do Afryki Południowej. Czułam też, że moja mama chciałaby, żeby ślub jej wnuka odbył się zgodnie z planem. Była jedną z najmniej samolubnych osób, jakie znałam. Żegnaj, Mamo, będzie nam Ciebie brakowało.

Rodzice Sylvii, Trudi i Hans, dalej Heidi, Sylvia, Ian, ja, Lolly, mama Lolly'ego, Chris oraz córka Janusza Tanja

Tak więc było wesele, choć wyglądało dość nietypowo. Postanowiliśmy przybrać bugenwillami jeepa, którym miała jechać Sylvia, ale Jerry zeskubywał je szybciej, niż my układaliśmy.

Sylvia przyjechała z ojcem. Zbudowaliśmy ołtarz obok wielkiego drzewa, prowadził do niego kobierzec ze zwierzęcych skór.

Ksiądz przybył na ceremonię z Nelspruit. Ślub był uroczy, zaprosiliśmy około sześćdziesięciu gości. Jerry przechadzał się wśród zebranych, a kurczęta, ptaki i wiewiórki dopełniały obrazu. Atmosfera była cudowna.

Przy tej okazji między nowożeńcami doszło do pierwszej utarczki! Sylvia wciąż spoglądała na zwierzęta, kurczaki, psy i dzieci ją rozpraszały.

— Zapomnij o bydlętach, skup się na tym, co mówi ksiądz! — szepnął zirytowany Ian.

Sylvia się zachmurzyła, co było całkowicie zrozumiałe.

Na ślubie byli Hans i Trudi, rodzice Sylvii, jej brat Werner, jego była żona, a także wujek i ciocia. Przyjaciele Iana nosili na rękach czarne opaski upamiętniające przyjaciela, który „zginął". Mistrz ceremonii Les czarował nas i zabawiał swoim krasomówstwem. Janusz wyjechał już do Australii, więc nie mógł bawić się na weselu.

Początkowo wszyscy mieszkaliśmy w starym domu. Nie mieliśmy pieniędzy na postawienie czegoś nowego, lecz w końcu je zdobyliśmy i rozpoczęliśmy budowę. Sami wyrabialiśmy cegły, choć szło nam to bardzo powoli.

Po weselu doszłam do wniosku, że Ianowi i Sylvii powinien przypaść w udziale dom, który zbudowaliśmy dla siebie. Uznałam, że nowożeńcy mają prawo do własnego kąta.

Wkrótce potem postanowiłam zatrudnić szefa kuchni. Zgłosił się mężczyzna, którego będę nazywać Sam. By ocenić jego umiejętności, poprosiłam go o przygotowanie niedzielnego lunchu dla rodziny. Posiłek był okropny, ten człowiek nie miał pojęcia o gotowaniu. Powiedział, że chciałby pracować jako *game ranger*. Rozpaczliwie poszukiwał pracy. Zlitowałam się nad nim i dałam mu szansę.

Pewnego dnia postanowiliśmy zjeść kolację w buszu przy ognisku koło stawu. Sam poszedł pierwszy, żeby rozpalić ognisko. Chris miał dotrzeć później ze swoimi gośćmi. Ponieważ samolot się opóźnił, nie spodziewaliśmy się ich przed godziną dwudziestą drugą. Chris zjawił się z gośćmi, kiedy zbieraliśmy naczynia po skończonej kolacji, więc zaproponowałam im wino. Poszłam do domu, żeby przygotować coś dla spóźnialskich. Zapytałam Sama, czy dał im korkociąg. Nie zrobił tego, zatem powiedziałam:

— Dobrze! Zaczekam tutaj, a ty pobiegnij do gości. To pięć minut drogi.

Czekaliśmy i czekaliśmy, ale Sam skręcił w niewłaściwą stronę i popędził w kierunku bramy. Po jakimś czasie uświadomiliśmy sobie, co się stało, i zaczęliśmy go szukać.

Innym razem Sam tak bardzo chciał się wykazać swoją szybkością, że rzucił się biegiem z butelką wina w ręku. Miał do pokonania około pięćdziesięciu jardów. Niestety, rąbnął głową w gałąź drzewa. Chris wyszedł z zagrody i zobaczył, że biedak leży jak długi na ziemi z butelką w dłoni. Półprzytomny, ale bardzo dumny, że zdołał ją ocalić.

Pewnego razu kazaliśmy mu spuścić zasłony w jednym z *rondavel*. Domek był ogrodzony, gdyż Jerry lubił skubać strzechę. Sam otworzył bramę i w tej samej chwili uderzył grom. Sam runął na ziemię, z jego ciała unosił się dym. Miał ogromne szczęście, że żył i nie doznał poważnych obrażeń. Chris zastał go leżącego i zapytał, co się stało.

— Nie mam pojęcia — odrzekł. — Ale się ze mnie dymi!

Kiedyś, gdy nie dysponowaliśmy jeszcze odpowiednią liczbą łóżek dla turystów, skorzystaliśmy z gościny na sąsiednim ranczu. Kazałam Samowi przywieźć gości na lunch. Minęła czternasta, a jego wciąż nie było. Błąkał się po posiadłości, zgubiwszy drogę. Goście mimo woli zwiedzali farmę i przybyli bardzo wygłodniali.

Trzeba jednak przyznać, że nie brakowało mu determinacji. Kupił sobie komputer i książki o zwierzętach, nauczył się tyle, że jego wiedza była naprawdę imponująca. Mimo to był dla mnie zawsze źródłem śmiechu. Ściągał na siebie wypadki niczym magnes opiłki żelaza.

Dokończę opowieść o Jerrym. Wkrótce po tym, jak skończył pięć lat, zaatakowały go lwy i złamały mu nogę. Musieliśmy go uśpić. To było w Boże Narodzenie. Bardzo za nim tęskniliśmy. Brakowało go nam, kiedy chodziliśmy na spacery. Jerry zawsze zostawał z tyłu, a później galopował, żeby nas dogonić. Trzeba było uważać, bo pędził ze sporą prędkością i łatwo mógł przewrócić człowieka. Wszyscy bardzo go kochaliśmy. Mama powiedziała kiedyś:

— Jerry wiedział, kiedy jest mi smutno. Wtedy podchodził i lizał mnie.

Przygoda w buszu

Ian zaczął organizować obozy szkolne i wycieczki dla młodzieży. Kiedyś zabrał grupę starszych skautów na trzydniową wycieczkę po rzece, a później przez dwa dni podążali tropem słonia. Nie mogli narzekać na brak przygód: pogoniły ich hipopotamy i napotkali krokodyle, które wynurzyły się z wody tuż obok nich. Musieli przenosić wszystko wokół sadzawki zajętej przez hipopotamy, co znacznie wydłużało spływ.

Początkowo wycieczki szkolne miały do dyspozycji tylko szałas w buszu z prysznicem i zbiornikiem wodnym. To była prawdziwa ucieczka od cywilizacji, dzieci spały prawie pod gołym niebem. Pierwsza grupa przybyła z klasztoru w Nelspruit, a potem jej członkowie wracali rok w rok przez ćwierć wieku. Kiedyś przyjechała grupa ze szkoły w Johannesburgu z nauczycielką imieniem Jenny.

Mieliśmy małego, wykarmionego butelką dujkera, którego nazwaliśmy Tshukudu. Był uroczy. Samiec dujkera po osiągnięciu dorosłości potrafi być niesłychanie bezczelny. Ten lubił ganiać

Lolly, Sonja i Chris z Shumbą

ludzi. Nie cierpiał Lesa Carlisle'a. Dujkery mają małe, ale bardzo ostre różki, którymi potrafią zranić. Les naprawdę bał się tego zwierzaka, gdyż kiedyś dujker wbił mu róg w nogę, zadając mnóstwo bólu. Ilekroć Les do nas przyjechał, zawsze pytał, gdzie przebywa Tshukudu.

Pewnego razu Jenny siedziała z nami, kiedy podbiegła do niej mała uczennica.

— Proszę pani, proszę pani! — zawołała. — Tshukudu goni dziewczynki!

— Co ty pleciesz? — zdziwiła się Jenny.

Kiedy jednak pobiegła do szałasu, zastała wszystkie dziewczynki na blacie baru. Poirytowana nauczycielka zapytała, co tam robią. Wtedy dujker ją zaatakował. Jenny pędem dołączyła do trzydziestu podopiecznych na barze. Ian musiał przyjść im z pomocą. Zwierzę miało czyjąś torebkę na szyi i to jeszcze bardziej je rozwścieczało.

Po przeprowadzce do Tshukudu poznaliśmy Craigów. W ich domu odbywały się nabożeństwa, zanim w okolicy powstał kościół z prawdziwego zdarzenia. Pewnego dnia Anne Craig przyszła do nas w odwiedziny ze swoją przyjaciółką. Mieliśmy już wtedy dwa *rondawel*. Anne zapytała, czy może pokazać jeden przyjaciółce. Długo nie wracały, więc zaczęłam się o nie martwić i wyszłam na poszukiwanie. Widząc Tshukudu stojącego przed drzwiami jednego z domków, zapytałam głośno, czy są w środku.

— Wpadłyśmy w pułapkę — odparła Anne. — Tshukudu nie chce nas wypuścić!

— Co ty pleciesz! — zawołałam.

Gdy spróbowałam go odpędzić, zwrócił się przeciwko mnie. Wskoczyłam do *rondawel*. Dujker wziął do niewoli całą naszą trójkę! Nie było telefonów komórkowych ani radiotelefonów, więc kazałam Anne podejść do drzwi i ściągnąć na siebie uwagę Tshukudu, a sama wyskoczyłam przez okno i pobiegłam po pomoc.

Kiedy sprzedaliśmy biuro podróży w Nelspruit, a ja zostałam w mieście, żeby przez jakiś czas jeszcze pracować, moim szefem był Philip Lategan. Urzędował w głównej siedzibie Magnum Airlines. Pewnego razu przyjechał do nas na farmę. W piękną księżycową noc postanowiliśmy przejść się spacerem do zbiornika wodnego, pierwszego, który zbudowaliśmy koło domu. Było po deszczu i chciałam sprawdzić, poziom wody w zbiorniku. Staliśmy koło niego, gdy nagle z buszu wypadł Tshukudu i ubódł Philipa z tyłu, a ten klapnął śmiesznie na pupę. Nie ukrywam, że trochę

Matthew, Chris i Jessica

się ucieszyłam, gdyż mój szef miał tendencję do zadzierania nosa. Po tym wydarzeniu, nie za sprawą szefa, Tshukudu zniknął na jakieś pół roku. Nie wiedzieliśmy, co się z nim stało, i zaczęliśmy się zastanawiać, czy nie porwał go lew. Pewnego dnia Lolly wiózł grupę turystów i zobaczył dujkera. Pomyślał, że to może być właśnie nasz Tshukudu. Zatrzymał samochód i zawołał koziołka po imieniu, wysiadając. Zwierzę podbiegło do niego, polizało go, a później zniknęło w buszu. Turyści nie mogli uwierzyć własnym oczom. To było wzruszające wydarzenie. Koziołek pamiętał Lolly'ego, ale już więcej go nie ujrzeliśmy.

Lolly, Ian, Chris i ja wykonywaliśmy wszystkie prace w schronisku. Rozpieszczaliśmy gości, troszczyliśmy się o ich wszelkie potrzeby. Kiedy nasi synowie się ożenili, trzeba było zadbać o to, aby każdy z nich prowadził własną działalność. Miało to zapobiec konfliktom na tle czasu poświęconego utrzymaniu farmy. Ian i Chris nie zawsze się ze sobą zgadzali, dochodziło do spornych sytuacji. Chcieli mieć chwile dla siebie. Postanowiliśmy więc, że podzielimy farmę między nich i każdy będzie odpowiedzialny za swoją część. Ian zajął się obozowiskiem dla uczniów, które składało się z platformy i dwóch domków. Zaczęliśmy także organizować safari — bez strzelania na farmie, tylko wycieczki do pobliskich miejsc. Ten obszar przypadł Chrisowi. Stopniowo zbudował obóz i dobrze się stało, gdyż trudno jest łączyć tych, którzy strzelają z broni, z tymi, którzy używają wyłącznie aparatów. Myśliwi pragną opowiadać o swoich wyczynach, a fotografowie nie chcą o nich słyszeć. Chris zbudował dom i postawił namioty. Sonja, jego żona, wszystko pięknie urządziła.

Chris tak wspomina ówczesne safari:

— Największy dochód mieliśmy z polowań, które stały się popularne, gdy kurs randa się obniżył. Przyjeżdżało mnóstwo ludzi, mieliśmy bogate żniwa. Teraz rand się wzmocnił, myśliwych jest mniej, popyt osłabł. Poza tym biurokracja utrudnia znalezienie klientów.

Na naszej farmie polujemy tylko wówczas, gdy zwierzę zostało zranione albo stanowi zagrożenie. Musimy także kontrolować pogłowie. Obecnie mamy na przykład nadwyżkę samców bawołów z powodu wyłapania dużej liczby krów. Poza tym mamy ich około stu pięćdziesięciu, czyli za dużo jak na taki rewir. Chris może pozwolić myśliwym odstrzelić pewną część i zainwestować zysk w ochronę przyrody. Jeździ za granicę reklamować swoją firmę. Prowadzi także klientów na inne tereny, na których mogą polować.

Obozowisko namiotowe wykorzystujemy poza sezonem jako ośrodek wypoczynkowy. Byłoby to postępowanie nieekonomicznie, gdyby przez długie okresy świeciło pustką.

Chris poznał Sonję, gdy pracowała jako przedstawicielka firmy reklamującej rezerwaty przyrody. Pobrali się i byli razem przez dziesięć lat. Sonja przygarnęła kilka osieroconych zwierzaków

Steven, David, Ian, Sylvia, Richard i Patrick, którego twarz spuchła od ukąszenia pszczoły

i bardzo pomogła w prowadzeniu obozu. Byli szczęśliwym małżeństwem, ale, niestety, później wszystko się zepsuło. Wciąż się przyjaźnią. Chris dobrze wywiązuje się z roli ojca, a Jessica i Matthew mają bzika na punkcie dzikiej przyrody. Chris uważa, że jego syn zwiąże swoje życie zawodowe z ochroną środowiska naturalnego, ale pragnie, by oboje poszli za głosem serca.

Naturalnie wciąż kocham Sonję. Urocza z niej dziewczyna. Bardzo się zasmuciłam, gdy ich małżeństwo się rozpadło. Jest matką moich wnuków, żałowałam, że od nas odeszła.

Ian i Sylvia wspólnie budowali swoją firmę. Rzecz jasna, gdy pojawiły się dzieci, Sylvia musiała więcej przebywać w domu, ale udzielała się w prowadzeniu obozu. Mają teraz czterech synów: Patricka, Davida, Stevena i Richarda. Sylvia dalej pomaga: robi zakupy, dokonuje rezerwacji i zajmuje się cateringiem, odwozi i przywozi dzieci. Obóz oferuje wyżywienie uczniom przebywającym w nim i studentom z zagranicy, a także tani odpoczynek Południowoafrykańczykom.

Gdy nadszedł okres strasznej suszy, kupiliśmy farmę w Ohrigstad. Nie mieliśmy karmy dla zwierząt, która była niewyobrażalnie droga i często niedostępna. Na farmie mogliśmy uprawiać lucernę, dzięki temu sporo oszczędzaliśmy. Siejemy jej bardzo dużo, a potem magazynujemy i w razie kolejnej suszy mamy paszę dla zwierząt. To bardzo kosztowne przedsięwzięcie, ale w sumie się opłaca. Ohrigstad jest też miejscem, do którego rodzina może pojechać, kiedy chce się od wszystkiego oderwać. Mieliśmy jednak problemy z zarządcami tej farmy. Pierwszym był młody student, który zapraszał znajomych. Wieczorami wypuszczali się do buszu i strzelali do wszelkiej zwierzyny, która się nawinęła. Inny zarządca także zabierał gości na polowania. Urządzenie farmy i jej ogrodzenie stanowiło nie lada zadanie. Umieściliśmy tam mnóstwo dzikich zwierząt.

Pościgi i ucieczki

Początkowo robiłam zakupy w Phalaborwa. Pewnego dnia chciałam tam pojechać, ale okazało się, że nie mam odpowiedniego samochodu do przywiezienia wszystkiego, czego potrzebowałam. Lolly zawsze chronił swoje auta i niechętnie je pożyczał, nawet rodzinie. Tego dnia musiałam go prosić, żeby pozwolił mi skorzystać ze swojego *bakkie**. Zgodził się. Pojechałam w towarzystwie rangera, który miał załatwić jakieś zezwolenia. Zaparkowałam samochód w bezpiecznym miejscu na parkingu supermarketu w Phalaborwa. Pochłonięta robieniem zakupów, kilka razy przechodziłam obok samochodu. Dlatego bardzo się zdziwiłam, kiedy ranger podbiegł do mnie i oznajmił, że *bakkie* zniknął.

— Nonsens — odparłam. — Przecież widziałam go przed kilkoma minutami.

Przekonał mnie, żebym poszła na miejsce i na własne oczy zobaczyła, że mówi prawdę.

---

* pick-up

Udałam się do kierownika sklepu, poprosiłam, żeby zadzwonił na policję i zasugerował blokadę trzech dróg wyjazdowych z Phalaborwa prowadzących do Namakgale, Tzaneen i Hoedspruit. Policja potraktowała mnie bardzo życzliwie, ale mimo to zmieniłam się w kłębek nerwów. Co powiem Lolly'emu? Musiałam zadzwonić do niego, żeby dostać się z powrotem do Tshukudu.

— Okropnie mi przykro, że ukradziono *bakkie*. Przyjedź i zabierz mnie stąd, ale miej oczy otwarte, bo samochód może jechać w twoją stronę.

Przebywał wówczas u nas nasz przyjaciel Seun pochodzący ze Swazilandu. Wsiedli wraz z Lollym do jego kombi i pojechali. Tuż za Tshukudu Lolly zauważył pick-upa zmierzającego w ich stronę. Ścigał go nieoznakowany samochód. Lolly chciał wyskoczyć z auta, ale Seun przekonał go, że to niebezpieczne. Zawrócili i pojechali za ukradzionym wozem. Za kierownicą samochodu pościgowego siedział policjant. Zaniepokoił się, widząc, że znalazł się pomiędzy skradzionym pojazdem a innym, z tablicą rejestracyjną Suazi. Pomyślał, że ma do czynienia ze wspólnikami przestępców. Złodziej natomiast spostrzegł, że gonią go dwa auta, i wpadł w panikę. Zatrzymał *bakkie*, wyskoczył i rzucił się do ucieczki w busz. Policjant podążył jego śladem i w pośpiechu wpadł do rowu. Lolly biegł za nim, strzelając w powietrze. Wszystko to wyglądało jak pościg na Dzikim Zachodzie. *Bakkie* omal nie padło łupem mafii działającej w Pretorii. Złodziej nie chciał ujawniać tożsamości przestępców, ale policja przytrzymała go w areszcie i po jakimś czasie zaczął sypać, dzięki czemu udało się rozpracować cały gang.

Niebezpieczne eskapady

Ian, Chris i ich znajomi przeżyli w Tshukudu wiele przygód, których znaczna część miała związek ze zwierzętami. Mark jeździł z Ianem polować na krokodyle. Nad rzekę docierali na motocyklach. Rzeka przepływała przez posiadłość należącą do naszego przyjaciela Bruce'a, który świecił latarką, podczas gdy Mark i Ian chwytali krokodyle. Kiedyś pogonił ich hipopotam i musieli ratować się ucieczką.

— Biegłem, ile sił w nogach, nie mogłem uwierzyć własnym oczom, gdy zobaczyłem, że Mark przegania mnie o kulach — opowiada Ian. — To mi uświadomiło, że hipcio jest bardzo blisko i że chodzi o moje życie. Mark upuścił latarkę, zatrzymał się, żeby pozbierać baterie, ale po chwili z tego zrezygnował, widząc, że hipopotam depcze mu po piętach.

Wkrótce po tym incydencie cała trójka spostrzegła krokodyla leżącego na piaszczystej łasze pośrodku rzeki. Mark i Bruce skierowali latarki na łeb bestii, chcąc ją oślepić, a Ian podczołgał się do niej jak najbliżej. Najmniejszy szmer zaniepokoiłby zwierzę, które natychmiast umknęłoby do wody. Podkradając się, Ian zwrócił na siebie uwagę hipopotama. Towarzysze Iana usłyszeli wielki plusk i pomyśleli, że porwał go krokodyl. Mój syn tymczasem wyskoczył na brzeg, lecz go nie zauważyli. Podszedł do nich z tyłu i klepnął w ramię. Myśląc, że widzą ducha, podskoczyli tak samo jak Ian. Stwierdzili jednogłośnie, że po takich przygodach lepiej będzie pojechać do domu, ale najpierw chcieli odpocząć. Usiedli na kamieniach nad rzeką. Nie wiedzieli o tym, że hipopotam, który przed chwilą stał w wodzie tuż obok nich, wynurzył się, aby zaczerpnąć powietrza. Wyskoczył prawie nad głową Marka. Wtedy już definitywnie postanowili wracać do domu.

Innym razem na wyprawę na krokodyle zaprosili turystę z Wielkiej Brytanii. Bruce wiózł ich otwartym land-roverem niedającym wystarczającej ochrony przed niebezpieczeństwem. Wcześniej padało, ale noc była piękna i jasna. Zatrzymawszy się, ujrzeli duże stado lwów. Nie zainteresowało ich, bo zamierzali polować na krokodyle.

— Tam są lwy! — zauważył przerażony brytyjski turysta.

— No cóż, jesteśmy w Afryce — odparli chłopcy.

Mężczyzna był bardzo zaniepokojony. Lękał się wysiąść z samochodu, a jednocześnie nie chciał zostać w nim sam. Doszedł w końcu do wniosku, że w towarzystwie będzie bezpieczniejszy, ale zobaczywszy wodę, chciał wiedzieć, czy są w niej krokodyle.

— Naturalnie — odpowiedział Ian. — Właśnie dlatego tu przyjechaliśmy.

Bruce został z gościem. Miał strzelbę śrutówkę, dzięki której Brytyjczyk czuł się trochę bezpieczniej. Wciąż jednak rozglądał się po otoczeniu, wypatrując lwów, hipopotamów i innych bestii. Ian i Mark zobaczyli oczy wynurzające się z wody i pomyśleli, że to krokodyl. Postanowili go podejść. Okazało się, że mają do czynienia z hipopotamem. Pospiesznie ominęli zwierzę z daleka i wrócili do towarzyszy. Okazało się, że znikły psy, prawdopodobnie pogonione przez stado lwów, więc mężczyźni postanowili je odszukać. Wsiedli do land-rovera i po chwili ujrzeli sprawców zajścia. Mark postanowił puścić się za nimi o kulach. Potknął się na nierównym terenie, a lwy od razu zauważyły przekąskę. Ian i Bruce zjawili się w samą porę, żeby uratować Marka oraz psy.

Po ślubie Ian przyrzekł Sylvii, że nigdy więcej nie wybierze się na krokodyle.

Zdobywamy przyjaciół, zwierzęta i teren

Nasz ośrodek powoli się rozrastał, między innymi dzięki południowoafrykańskiemu magazynowi kobiecemu „Fair Lady", w którym opublikowano artykuł o Tshukudu. Okazał się świetnym materiałem promocyjnym.

Stopniowo zwiększaliśmy liczebność zwierząt, rozpoczynając od zakupu czterech nosorożców. Nazwa „Tshukudu" oznacza nosorożca w dwóch z jedenastu oficjalnych języków kraju, tswana i północnym sotho. Nosorożce były jednymi z pierwszych sprowadzonych zwierząt, więc zasłużyły na uhonorowanie. W tym czasie odbył się ślub księżnej Diany i księcia Karola, a ponieważ nosorożce wyglądały na bardzo w sobie zakochane, zatem nazwaliśmy je Karol i Diana. Dwa pozostałe nieustannie się ze sobą wadziły, więc nasi przyjaciele nadali im imiona Lolly i Ala. Przysporzyły nam niemało troski, uciekając z farmy. Był akurat sam środek suszy, a farmer, na którego ziemię trafiły, zażądał, żebyśmy czym prędzej je zabrali, gdyż brakuje mu wody. Śmigłowiec Blackiego Swarta był wówczas w naprawie. Musieliśmy użyć strzałek usypiających, żeby obezwładnić zwierzęta.

Wynajęliśmy dużą ciężarówkę i w końcu udało nam się przewieźć je z powrotem do Tshukudu. Tym razem postanowiliśmy przed wypuszczeniem na wolność umieścić je w *boma*. Siedziałam z Pat French i obserwowałam, co się dzieje. Kierowca wjechał tyłem do *boma*, a następnie mężczyźni podjęli próbę wyciągnięcia zwierząt za ogony. Jednak uparte zwierzaki ani myślały się ruszyć. Gdy wreszcie postanowiły wyjść, zrobiły to z rozmachem. Nigdy w życiu nie widziałam tylu grubych, chudych, niskich i wysokich mężczyzn pierzchających z taką żwawością. Kryli się, gdzie popadło, pod ciężarówką i na drzewach. Razem z Pat skręcałam się ze śmiechu. Niesforne nosorożce zostały później uwolnione i dotychczas hasają radośnie po Tshukudu. Tak się oswoiły, że mogliśmy podchodzić do nich i je drapać. Trudno było uwierzyć, że dzikie zwierzęta tak bardzo się do nas przyzwyczaiły. Odkryliśmy to, dokarmiając je w czasie suszy. Gdy deszcz znów zaczął padać, powróciły do dziczy, co bardzo nam odpowiadało. Tolerują nas, lecz jeśli któryś zaczyna prychać, oznacza to, że nie należy się zbliżać. Jeżeli ignoruje się ostrzeżenie, można się narazić na szarżę. Później sprzedaliśmy jednego samca z zakupionej grupy. Nosorożce miały wiele młodych, co rok sprzedajemy około dwóch. Zapłaciliśmy za nie po tysiąc randów za sztukę, a w 2004 roku sprzedawaliśmy zwierzęta po sto siedemdziesiąt pięć tysięcy. Kupiliśmy nowego samca, żeby wprowadzić świeżą krew do naszego stada. Obecnie cena spadła, będziemy dostawać około siedemdziesięciu pięciu tysięcy za sztukę. Jednakże nosorożce okazały się dobrą inwestycją, wziąwszy pod uwagę cenę, jaką zapłaciliśmy za nie ćwierć wieku temu. Zwierzęta te nie wiążą się w pary na całe życie. Zwykle trzeba mieć dwa samce w stadzie, żeby się dobrze rozmnażały.

Kiedyś *game rangers* jeździli na patrole rowerami, by zapobiegać kłusownictwu. Zabierali na zwiad wszystko, co tylko mogło im się przydać, łącznie z brezentem, żeby móc spędzać noce w buszu. W tym czasie panowała wielka susza, więc karmiliśmy nosorożce lucerną. Kładliśmy bele przed ośrodkiem i tak mogliśmy obserwować zwierzęta, kiedy przychodziły żerować. Pewnego dnia właśnie podczas takiej obserwacji zauważyliśmy *game rangers* przejeżdżających na rowerach obok ośrodka. Nosorożce dostrzegły zielony brezent i musiały go pewnie wziąć za lucernę, bo pocwałowały za jadącymi. Ci jęli pedałować, ile sił w nogach. Im szybciej jechali, tym szybciej pędziły za nimi nosorożce. Wreszcie zeskoczyli z rowerów i zmykali dalej na nogach. Naturalnie nosorożce zatrzymały się, żeby obejrzeć z bliska brezent. Upłynęło sporo czasu, zanim mogliśmy odzyskać pozostałości pojazdów!

Stopniowo przybywało nam budynków. Postawiliśmy szałasy numer trzy i cztery. Nasz przyjaciel architekt oznajmił, że chyba nam się w głowach pomieszało, jeśli budujemy okrągłe *rondawel*. Powiedział, że to marnotrawstwo ziemi i pieniędzy. Miał rację, gdyż w okrągłym domu jest mniej miejsca na sprzęty. Jednakże nie powinnam była go słuchać, gdyż okrągłe budynki zapewniają lepsze chłodzenie i bardziej podobają się turystom. Zastosowaliśmy się do jego rady i postawiliśmy domki z dwoma pomieszczeniami zamiast *rondawel*. W przyszłości będę musiała je zmienić, zwłaszcza że na rynku jest teraz znacznie większa konkurencja. Warto jednak dodać, że my nie oferujemy samego zakwaterowania, lecz przede wszystkim kontakt z dziką przyrodą. Kiedy kupowaliśmy farmę, jedynymi rezerwatami dzikiej przyrody były Motswari, Ngala i Madumba Boma. Stały tam namioty i małe szałasy. Teraz w okolicy jest wiele ośrodków, każdy właściciel stara się prześcignąć innych. Uważam, że powinniśmy działać zgodnie z naszymi zasadami.

Praca na farmie nigdy się nie kończy, ludzie nie zdają sobie sprawy z tego, ile mamy obowiązków. Musimy zajmować się budynkami i buszem, dbać o zwierzęta i opiekować się sierotami z myślą o tym, by wypuścić je z powrotem na wolność.

Anegdoty

Rosła liczba naszych gości, więc przyjęłam do pracy kucharza imieniem Judas, którego skierował do mnie przyjaciel z Nelspruit. Judas przybył na rozmowę ubrany w biały garnitur i białe buty, jednym słowem — miał wszystko, co powinien mieć. Prezentował się imponująco. Ale spojrzawszy na busz, powiedział, że nie mógłby tutaj mieszkać. Zaproponowaliśmy, żeby zamieszkał w pokoju w budyneczku, który postawimy dla niego w pobliżu domu. Zgodził się, został i bardzo mi pomógł, lecz pewnego dnia odkryłam, że jest alkoholikiem. Moje puddingi z brandy nie zawierały brandy, a w puddingach z sherry próżno było szukać choćby kropli sherry. Pracował przez jakiś czas, lecz pewnego dnia w weekend wielkanocny postanowił wziąć sobie wolne. Wyjechał, wiedząc, że nazajutrz będzie mi potrzebny, gdyż przyjmowaliśmy akurat grupę szkolną oraz paru turystów z Niemiec. Dzieci zamieszkały w obozowisku w buszu, ale trzeba było je nakarmić. Judas postanowił nie wracać do pracy, a na domiar złego zachorowałam na grypę. Poznałam wtedy pewną panią imieniem Beauty, która była przyjaciółką Judasa. Beauty pomagała moim przyjaciołom w White River, lecz ci sprzedali farmę i kobieta została bez pracy. Ponieważ w tym czasie zatrudniłam Judasa, nie miałam więc dla niej wolnej posady, choć zrobiła na mnie dobre wrażenie. Zapytałam przyjaciółkę Jane Mathews, czy potrzebuje kogoś do pomocy w hotelu Magoebaskloof. Okazało się, że potrzebuje, i tak Beauty znalazła pracę.

June Coppen, jedna z moich przyjaciółek, powiedziała mi o szkółce brydża, która powstała w tym czasie w hotelu Coach House koło Tzaneen, i zaproponowała, żebym się do niej przyłączyła. Tam nawiązałam nowe przyjaźnie, między innymi z Gael, żoną naszego znajomego z Rodezji Północnej, Petera Williamsona. Kiedy Judas nie stawił się do pracy, powiedziałam do Lolly'ego:

— Musisz pojechać do Magoebaskloof i przywieźć Beauty. Jestem zbyt chora, żeby sama dać sobie radę.

Zadzwoniłam do hotelu i zapytałam Beauty, czy mogłaby przyjechać i ewentualnie kiedy.

— Dziś wieczorem! — odparła.

Lolly postanowił zjeść kolację z Gael i Peterem, którzy mieszkali na farmie nieopodal hotelu, i dopiero około dziesiątej wieczorem pojechał po Beauty. Cóż to była za ulga, gdy ją zobaczyłam. Musiałam ugotować kolację dla naszych gości z Niemiec, pomimo że byłam bardzo chora. Na szczęście Beauty się tym zajęła. Minęło dwadzieścia lat, a ona wciąż jest ze mną.

Innym wiernym pracownikiem, o którym chciałabym wspomnieć, jest Lamson. Był jedynym stróżem na farmie, kiedy ją kupiliśmy, i w dalszym ciągu u nas pracuje. Jest także Orlando, nasz zaopatrzeniowiec, którego znamy od maleńkości. Przybył jako uchodźca z Mozambiku, a ja umieściłam go w szkole, żeby zdobył dobre wykształcenie. Orlando okazał się utalentowanym młodym człowiekiem i cennym nabytkiem dla Tshukudu. Ważną pracownicą naszego ośrodka jest również Hilda, która pilnuje, by ani odrobina żywności się nie zmarnowała. Gromadzi wszelkie odpady i karmi nimi jeżozwierze, których oglądanie sprawia gościom wiele radości.

Zwierzęce romanse

Po zakupieniu nosorożców zainwestowaliśmy w bawoły. Zdobyliśmy wiele sztuk z sąsiadujących z nami farm bydła. Zwierzęta przywędrowały do nich z sąsiednich rezerwatów i farmerzy lękali się, że dzikie bawoły mogą roznosić choroby. Zawarliśmy umowę z łowcami zwierząt i poszliśmy łapać nasze bawoły. Pryszczyca nie stanowi problemu dla dzikich zwierząt, ale jest niebezpieczna dla bydła hodowlanego. Nasza farma sąsiaduje z Parkiem Narodowym Krugera, w którym szaleje epidemia tej choroby, więc trudno nam się jej pozbyć. Ale ponieważ nie hodujemy bydła, nie musimy się tym za bardzo martwić. Do pierwszej grupy bawołów dokupiliśmy później jeszcze dwadzieścia pięć sztuk. Tak powstało stado. Sprowadziliśmy również antylopy waterbuck, które świetnie sobie u nas radzą.

Farma Tshukudu walnie przyczyniła się do przetrwania dzikich zwierząt w Afryce Południowej. Byliśmy pionierami tworzenia rezerwatów, dzięki nam pierwsza żyrafa trafiła na prywatne tereny w KwaZulu-Natal i do Tuli na południu Botswany. Zwierzęta, których u nas jest zbyt dużo, są sprzedawane właścicielom innych farm i rezerwatów na terenie całego kraju.

Kiedy otwieraliśmy Tshukudu, byliśmy zewsząd otoczeni farmami hodowców bydła, którzy z ogromną wrogością odnosili się do drapieżników i dzikich zwierząt w ogóle. Było to zrozumiałe, gdyż ludzie ci chronili swoją trzodę oraz egzystencję. Dzikie zwierzęta obwiniano o przenoszenie wszelkiego rodzaju chorób na zwierzęta domowe. Niektóre z tych podejrzeń były zasadne, a inne nie, lecz dzikie zwierzęta traktowano jako przyczynę niedostatku.

W owym czasie rząd robił niewiele, by chronić zwierzynę poza rezerwatami, zwłaszcza lwy. Z dwudziestu parków narodowych w Afryce Południowej tylko w trzech można spotkać te zwierzęta, a w jednym z nich, Addo, umieszczono je dopiero w 2006 roku. Jest ich osiem, czyli za mało, by stworzyć znaczące stado na tak rozległym terenie. Pozostałe to park Kalahari, obejmujący środkową Botswanę, w którym żyje nieco mniej niż pięćset lwów, oraz Park Narodowy Krugera, mający około dwóch tysięcy lwów. Tak się niestety składa, że około osiemdziesięciu procent tych zwierząt z Parku Narodowego Krugera jest zarażonych gruźlicą i może wymrzeć w ciągu dziesięciu lub piętnastu lat. W Afryce Południowej pozostałoby wówczas bardzo mało lwów. Jeśli spojrzeć na cały kontynent afrykański, sytuacja także nie wygląda różowo: liczbę lwów ocenia się na dwadzieścia do trzydziestu tysięcy, a to o wiele za mało. Wszyscy mówią o ratowaniu słoni, lecz w tej chwili mamy ich w Afryce około sześciuset tysięcy. To porównanie pomaga zrozumieć, w jak poważnej sytuacji znalazły się wielkie koty.

W Tshukudu zajęliśmy się projektem rozmnażania lwów w 1985 roku, po tym, jak zauważyliśmy gwałtowny spadek ich

Młody Shumba z osieroconą zebrą Zebby

liczebności. Był on skutkiem polowań farmerów na lwy, które opuściły teren Parku Narodowego Krugera. Zwróciliśmy się do właściwych instancji o wydanie zezwoleń i po długich pertraktacjach pozwolono nam odławiać dzikie koty polujące na bydło na obrzeżach parku. Żadna osoba ani organizacja nie przyczyniła się bardziej od nas do ocalenia lwów w Afryce Południowej. Jesteśmy z tego dumni. Projekt ratowania lwów nabrał rozmachu, dzięki nam te zwierzęta trafiły ponownie na tereny większości prywatnych rezerwatów przyrody. Co jeszcze bardziej istotne, nasze lwy jako jedyne w Afryce Południowej nie chorują na gruźlicę i są jedynymi przedstawicielami południowej odmiany tego gatunku.

Epidemia gruźlicy wybuchła w Parku Narodowym Krugera w połowie lat osiemdziesiątych za sprawą bawołów, które przekroczyły Rzekę Krokodylową i zaraziły się gruźlicą od zwierząt domowych. Choroba rozprzestrzeniła się błyskawicznie wśród bawołów żyjących w dużych stadach, i przeszła na lwy, które polują na te zwierzęta. Stworzyło to zagrożenie dla całej populacji lwów na południu. Gruźlica grozi także lampartom i gepardom, lecz te drapieżniki nie żyją w stadach i nie polują na bawoły będące głównymi nosicielami choroby. Tak się niestety składa, że ludzie nie zdają sobie sprawy z niebezpieczeństwa, w jakim znalazły się południowoafrykańskie lwy. Nikt zatem nie podejmuje działań mających na celu uświadomienie problemu rządowi, który mógłby zmienić swoją politykę i zająć się ochroną tych zwierząt.

W tym czasie władze doprowadziły do zamknięcia wszystkich projektów rozmnażania lwów w następstwie alarmujących doniesień o polowaniu na te drapieżniki na ogrodzonych terenach.

Ian dobrze poznał sprawę:

— Chwytane na wolności albo wyhodowane lwy wypuszczano na teren farmy lub dużej zagrody, gdzie urządzano na nie polowania. Zgodnie z wymogami rządowymi teren, na którym odbywało się polowanie, musiał mieć co najmniej tysiąc hektarów. Wielkość ta mogła się nieznacznie zmieniać w różnych prowincjach. Kiedy w raporcie Cooke'a ujawniono istnienie tego rodzaju nielegalnej działalności, wizerunek ochrony przyrody w Afryce Południowej bardzo ucierpiał. Rząd postanowił zamknąć większość projektów

Shumba

hodowli lwów, gdyż bez wątpienia liczni hodowcy brali udział w procederze. Zwróciliśmy władzom uwagę także na to, że wiele lwów importowano do Afryki Południowej z innych krajów afrykańskich oraz z cyrków i ogrodów zoologicznych na całym świecie. W poważny sposób zanieczyszczały one populację lwów południowoafrykańskich, które staraliśmy się chronić i rozmieszczać na terenie całego kraju — opowiada Ian. — Niestety, pewni ludzie zarabiali duże pieniądze na hodowli lwów do odstrzału. Działo się tak ze względu na słabość przepisów oraz brak należytego nadzoru. W ostateczności przegranymi będą południowoafrykańskie lwy. Tylko czas może pokazać, czy uczyniliśmy wystarczająco dużo w sprawie ochrony naszych rodzimych lwów.

„Jeśli pozwala zarobić, może żyć" — do tego powiedzenia sprowadza się cała filozofia w odniesieniu do ochrony dzikiej przyrody. Zrozumiałam to, kiedy rozpoczęliśmy naszą działalność. Większość hodowców bydła w regionie zapraszała członków rodziny i znajomych, aby przyjeżdżali i polowali za darmo na ich ziemi. Kiedy zwierzęta zaczęły mieć „wartość", stanowisko hodowców szybko się zmieniło. Powstała sytuacja, w wyniku której zyskać mogły dzikie zwierzęta, a farmerzy mieli zarobek. Najsmutniejsze jest to, że dostrzega się potencjał i wartość dzikich zwierząt dopiero wówczas, gdy w grę zaczynają wchodzić pieniądze. Mimo to możemy z satysfakcją odnotować, że farmy będące rezerwatami są dzisiaj warte pięć razy więcej od farm hodowli bydła. W wyniku tego dziewięćdziesiąt osiem procent ziemi służy ochronie przyrody.

W Afryce Południowej znajduje się obecnie osiem tysięcy prywatnych rezerwatów dzikiej przyrody. Zajmują one powierzchnię czternastu milionów hektarów (dla porównania ogromny, sławny na cały świat Park Narodowy Krugera ma powierzchnię dwóch milionów hektarów). Nigdy nie było w Afryce Południowej tylu zwierząt objętych ochroną ani tyle ziemi na nią przeznaczonej, co dobrze wróży na przyszłość.

Przydarzyło nam się sporo incydentów związanych z hodowlą lwów na naszym terenie. Pewnego dnia dziki lew zdołał wtargnąć na teren jednego z obozów, gdzie część ogrodzenia była zniszczona przez słonie. Chcieliśmy uśpić zwierzę, ale nie mogliśmy go zlokalizować. Chris i Ian wybrali się na poszukiwanie i spostrzegli drapieżnika leżącego pod drzewem. Wystrzelili pocisk z dawką środka usypiającego, ale ten pękł. Zrobiło się zamieszanie, którego odgłosy dotarły do innych lwów. Dzikie zwierzę było ranne, gdyż zaatakowali go pobratymcy mieszkający na naszym terenie. Ian i Chris nie mogli go gonić samochodem ze względu na gęsty busz, poszli więc piechotą. Zdołali oddzielić lwy od intruza, który wpadł na ogrodzenie. Osaczony rzucił się za Chrisem. Ian wkroczył do akcji z pistoletem, lecz wtedy zwierzę zwróciło się przeciwko niemu.

W tamtym czasie nasi synowie byli sprawni i umieli szybko biegać. Jestem pewna, że pobili wszelkie rekordy prędkości, umykając przed rozgniewanym i przestraszonym drapieżnikiem. Ian odwrócił się, żeby zobaczyć, gdzie lew się znajduje. Był tak blisko, że gdyby wyciągnął łapę, zdołałby dotknąć mojego syna. Ian stanął, trzymając w dłoni magnum .44. Wiedział, że albo zastrzeli zwierzę, albo zginie. Nie chciał zabijać lwa, mierzył więc w jedną stronę głowy, tak aby pocisk nie przeszedł przez mózg. Lew padł na ziemię. Chris podbiegł zdumiony i zły, że Ian zastrzelił lwa. Nie przejął się nawet tym, że bratu groziło śmiertelne niebezpieczeństwo. Kiedy tak się spierali, lew wstał i umknął. Chłopcy odetchnęli z ulgą. Wezwali weterynarza i złapali rannego kota. Przeżył i później został wypuszczony do buszu.

Shumba był jednym z pierwszych lwów wykarmionych przez Sonję i Chrisa. Dał nam mnóstwo radości. W trakcie budowy domu Chris chodził sprawdzać postępy, a Shumba podążał za nim. Na widok tej pary robotnicy czmychali na rusztowanie, na drzewo albo inne wysoko położone miejsce. Lew budził w nich śmiertelne przerażenie. Shumba uważał to za doskonałą zabawę i rzucał się w pogoń. On też umiał się wspinać na drzewa! Gdy rozpoczęła się budowa drugiego piętra domu, Chris wchodził po schodach, a Shumba dreptał za nim. Mężczyzna, który tam pracował, wdrapał się na belkę, a Shumba, oczywiście, ruszył za nim. Przerażony

Shumba, gwiazdor filmu Jock z buszu

robotnik wahał się, ale w końcu zeskoczył na ziemię, ratując się w swoim mniemaniu przed nagłą i bolesną śmiercią.

Pewnego dnia siedziałam w biurze i rozmawiałam przez telefon, gdy nadjechał komiwojażer. Wysiadł z samochodu i zaczął poprawiać marynarkę, szykując się do występu. Potem okrążył dom, kierując się w stronę werandy. Wyszedłszy zza węgła, ujrzał lwa. Nie wiedział, czy zwierz jest dziki, czy oswojony, ale pomyślał, że ostrożność nie zawadzi, i jął się wycofywać. Shumba uznał to za zaproszenie do pogoni. Biedny komiwojażer dawał z siebie wszystko, a lew nie zamierzał zostawać z tyłu. Mężczyzna schronił się w samochodzie. Shumba wskoczył na maskę i obserwował przez szybę swój łup. Wyglądał tak, jakby myślał: Przed czym ty, u diabła, tak zmykałeś?

Przybysz pobielał ze strachu. Na ratunek przyszedł mu *game ranger* i zaprowadził na werandę, lecz komiwojażerowi zupełnie odjęło mowę. Siedział i trząsł się ze strachu. Shumba podszedł, usiadł koło niego i zaczął podgryzać jego walizkę. Chcieliśmy go powstrzymać, ale komiwojażer powiedział:

— Dajcie mu spokój. Niech sobie nie żałuje!

Wieczorem często wychodziliśmy z Lollym na spacery. Kierowaliśmy się do ogrodzenia, za którym obecnie mieszkają lwy. Shumba zazwyczaj za nami podążał. Pewnego dnia zastaliśmy ludzi pracujących przy torach kolejowych. Wtem rozległy się krzyki. Robotnicy wrzeszczeli do nas w swoim języku, którego nie rozumieliśmy. Nagle dotarło do mnie, że wołają coś w rodzaju: „Goni was lew! Uciekajcie!". Pomyśleli, że podkrada się do nas dzikie zwierzę.

Shumba nawet był aktorem w filmie *Jock z buszu*, w którym zostaje „zastrzelony". Naturalnie nie dzieje mu się w tej scenie żadna krzywda. Trzeba go było uśpić, żeby strzał wyglądał realistycznie. Kiedy zasnął, wymalowano mu czerwoną farbą „ranę" na głowie. Przy realizacji filmowcy zastosowali zdjęcia trikowe. Ustawiwszy kamerę za ogrodzeniem, zachęcili Shumbę do szarży. Lew bardzo zazdrośnie strzeże swojej własności, na przykład samicy lub zdobyczy. Mięso umieszczano w pobliżu ogrodzenia i wtedy kręcono ujęcia. Członkowie ekipy mieli się gdzie schronić, w razie gdyby któreś ze zwierząt się znarowiło. Zawsze postępuje się w ten sposób, kiedy ma się do czynienia z niebezpiecznymi drapieżnikami. Każdy, kto obejrzał film, myślał, że Shumba zginął, a on dożył sędziwego wieku osiemnastu lat. W buszu lwy żyją około dziesięciu, jedenastu lat, ale w niewoli można nieco przedłużyć im życie. Shumba odszedł w 2006 roku, lecz nawet gdy był już naprawdę stary, czasem jeszcze płodził młode. Był przywódcą stada, nieco zrzędliwym staruszkiem cierpiącym na lekki artretyzm.

Sunshine pozwala gładzić się Ianowi, karmiąc swoje młode

Ciało mu obwisło i kły się starły, a mimo to potrafił żerować i pokrywać samice.

Inna historyjka o Shumbie wiąże się z południowoafrykańskim filmowcem Leonem Schusterem i jego filmem *There's a Zulu on My Stoep* (Zulus na mojej werandzie). Jest w nim scena ze schwytanym kłusownikiem, który zostaje oszołomiony narkotykiem i którego potem zakopano w ziemi tak, że widoczny był tylko tułów. Ocknąwszy się, mężczyzna spostrzega stojącego nad sobą lwa i myśli, że zwierz pożarł mu nogi. Jestem pewna, że ów kłusownik porzucił na zawsze swój proceder.

Chris często wchodził do zagrody lwów i pozwalał dorosłemu Shumbie na różne zabawy. Znajomość charakteru lwów dobrze mu się przysłużyła. Wiedział, że jeśli lew bierze coś do pyska, staje się to jego własnością i zwierzę może zachowywać się agresywnie, kiedy próbuje mu się to odebrać. To niebezpieczna cecha, bo co zrobić, kiedy weźmie do pyska twoją dłoń i uzna za swoją własność? W ten sposób można sprowokować atak.

Każde duże zwierzę stanowi zagrożenie. Zdarzało się, że drapieżnik rzucał się na ludzi, którzy mieszkali z nim przez całe życie. Sigfield i Roy trzymali tygrysy w domach i bawili się z nimi. Niespodziewanie jedno ze zwierząt zaatakowało i zabiło człowieka na scenie.

Sunshine była lwicą, która bardzo się do nas przywiązała. Miała młode i pozwalała Ianowi brać dzieci i przenosić je, a sama podążała za nim niczym ufna kotka.

Wielu ludzi błędnie sądzi, że duże koty, takie jak lwy czy lamparty, wychowane przez ludzi nie potrafią samodzielnie polować. One tymczasem mają instynkt polowania tak samo jak kot domowy, który zawsze będzie z przyjemnością łowił ptaki i myszy. Problemem nie jest możliwość zwrócenia lwa środowisku naturalnemu, lecz brak lęku przed ludźmi. To dość poważna kwestia, głównie ze względu na rozmiary lwa, który z radości może skoczyć na człowieka. Może złamać mu kręgosłup albo dotkliwie zranić.

Opiszę pewne zdarzenie. Wyhodowane w niewoli gepardy postanowiono wypuścić na wolność. Aby to się udało, ograniczono do minimum kontakty wielkich kotów z ludźmi, a później wypuszczono je na rozległy ogrodzony teren, na którym mogły polować. Założenie było dobre, lecz zapomniano o tym, że zwierzęta zostały wyrwane z przyjaznego środowiska, w którym nie musiały współzawodniczyć o pożywienie z innymi drapieżnikami. Lamparty, lwy, hieny i dzikie psy kradną sobie zdobycz i traktują się nawzajem jako konkurencję. Savanna, wychowana przez nas samica geparda, we wczesnym wieku została zapoznana z innymi drapieżnikami pod naszym nadzorem i dobrze dała sobie radę na wolności.

Młody lampart opiekuje się malutkim lwem

Odebraliśmy kiedyś telefon od przyjaciela, który miał farmę bydła w Phalaborwa. Przywędrowało do niego mnóstwo lwów, i chciał, żebyśmy je wyłapali. Ian i Chris załadowali samochód i poprosili przebywającego wówczas u nas studenta, aby im towarzyszył. Po przybyciu na miejsce spotkali się z naszym znajomym, który pokazał im, gdzie widział lwy. Przywiązali część tuszy antylopy do drzewa i ukryli samochód. Zjawiło się stado lwów, Chrisowi i Ianowi udało się uśpić dużą samicę. Narkotyk zaczął działać, lecz zwierzę zniknęło z pola widzenia. Pozostałe lwy wyczuły niebezpieczeństwo i rozpierzchły się wśród wysokiej trawy. Należało zlokalizować uśpioną lwicę. Było to niebezpieczne zadanie, gdyż chłopcy musieli wejść z latarkami w gęsty busz, w którym kryły się drapieżniki, i odszukać samicę trafioną pociskiem ze środkiem usypiającym. Ian i Chris zdołali ją odnaleźć i załadować na samochód. Potem wrócili do buszu i uśpili młodego samca, którego także załadowali na land-rovera. Zauważyli, że jeden z lwów leży z nosem opartym o błotnik i ciężko dyszy. Kazali studentowi złapać go za ogon i trochę pociągnąć, aby zwierzęciu było łatwiej oddychać. Lew, nawet jeśli jest uśpiony, wyczuwa każdy ruch. Uśpione zwierzę pod wpływem błyskawicznego odruchu może ugryźć, a wtedy nie chce puścić ofiary. Kiedy student pociągnął za ogon, poruszył się zbyt raptownie, bo lew momentalnie podskoczył i znalazł się w powietrzu. Chłopak pomyślał, że już po nim. Puścił ogon, wykonał zwrot i wylądował na masce auta. Lew spadł na ziemię i tam pozostał. Chris i Ian nie byli w stanie sami dźwignąć ciężkiego zwierzęcia, musieli nakłonić oszołomionego studenta do pomocy. Ponieważ na przyczepie nie było więcej miejsca, zatem ruszyli w drogę do domu. Nieco wcześniej doszło do oberwania chmury i drogi były zalane, wiele pojazdów ugrzęzło w błocie i wodzie. Na szczęście napędzany silnikiem Diesla samochód miał wysokie zawieszenie, ale mimo to woda dostała się na przyczepę. Przestraszyli się, że lwy się utopią. Środki nasenne przestawały działać, lwy usiadły. Chris i Ian podeszli do unieruchomionego samochodu i poprosili kierowcę o pomoc. Na widok zbliżającego się mężczyzny jeden z lwów ryknął potężnie. Człowiek się przeraził i wskoczył do kabiny, podnosząc szybę okienka. Chłopców to rozbawiło, lecz martwili się o swój żywy ładunek. Musieli się zatrzymać, podkraść do lwów i zaaplikować im w ogon następne dawki. Po dotarciu do Tshukudu zdołali jeszcze śmiertelnie wystraszyć Williama, starszego strażnika pilnującego bramy. Po tych mrożących krew w żyłach perypetiach dowieźli lwy do zagrody. Jednakże student był bliski załamania nerwowego i przysięgał zapewne, że nigdy więcej nie zbliży się do lwów.

Takie historyjki świetnie się opowiada i przyjemnie się ich słucha, lecz Chrisowi i Ianowi często groziło niebezpieczeństwo. Obaj są jednak rozsądni i znają zwyczaje zwierząt. Tworzenie stada drapieżników wymagało wiele wysiłku, lecz przyniosło nam ogromną satysfakcję. Wszystkie te zdarzenia wryły się na zawsze w naszą pamięć.

Sieroty

Mieliśmy na farmie mnóstwo zwierzęcych sierot, które sami wykarmiliśmy. Pokochaliśmy je wszystkie. Guźce są bardzo brzydkie, ale miłe i zabawne. Mieliśmy wiele guźców, nosiły imiona w rodzaju Winston i Snotty. Były wspaniałymi towarzyszami. Problem w tym, że są bardzo silne i żywiołowe. Nie mają agresywnej natury, ale jeśli się je uderzy lub próbuje do czegoś zmusić, potrafią się zachowywać okropnie. Zwierzęta te bronią swojego terenu. Samice guźca mają ruję przez krótki okres w roku i nie wchodzą na teren zabudowań ośrodka, więc nie było z nimi kłopotu. Pewnego razu, gdy podejmowaliśmy brytyjskich turystów, przyniesiono nam malutkiego, ale niesfornego guźca. Jednym z gości była antykwariuszka z Londynu. Spojrzała na prosiaka i zapytała:

— Nadali mu już państwo imię? Samiec czy samica? — Odpowiedziałam, że samica. — Wobec tego proszę ją nazwać Maggie Thatcher — zaproponowała z uśmiechem.

Po powrocie do Anglii kobieta napisała do Margaret Thatcher i poinformowała ją, że w Afryce Południowej żyje samica guźca

Maggie Thatcher w całej swojej krasie

nosząca jej imię i nazwisko. Pani Thatcher podobno odpisała, że bardzo się cieszy z nazwania dzikiego zwierzęcia na jej cześć. Ciekawa jestem, czy wiedziała, jak wygląda dorosły guziec.

W tym samym czasie gdy dostaliśmy Maggie, trafiła do nas także mała małpka imieniem uMfan (chłopczyk). Zaprzyjaźnili się z Maggie i nawet razem jedli. Pewnego dnia słonie połamały ogrodzenie między naszą farmą a sąsiednim rezerwatem i wtargnęły na nasz teren. Poszłam z pracownikami naprawiać ogrodzenie, przekonana, że zdążę wrócić na czas, by nakarmić maluchy. Jednak reperacja ogrodzenia trwała dłużej, niż się spodziewałam. Moje dwie sierotki musiały się poczuć zaniedbane. Popędziłam do domu, żeby czym prędzej dać im butelki. Ujrzałam, jak mały uMfan siedział na grzbiecie Maggie i pocieszał się, ssąc swój kciuk. Od tej pory ilekroć szłam z Maggie na spacer, towarzyszył nam uMfan siedzący na jej grzbiecie. Małpka lubiła też siadać mi na ramieniu, kiedy wieczorami oglądałam telewizję. Co jakiś czas całowała mnie, przypominając, że ze mną jest.

Kiedyś zobaczyłam ciągnik jadący z buszu, którym wieziono jakieś zwierzę. Po chwili rozpoznałam hienę. Była w zatrważającym stanie: zarobaczona, chora i wygłodzona. Umywszy ją, zorientowaliśmy się, że jest ślepa. Doktor Blackie Swart stwierdził, że zwierzę straciło wzrok z powodu niedożywienia i że w odpowiednich warunkach może go odzyskać. Zaopiekowałam się nią czule i po pewnym czasie z radością zobaczyłam, że Scruffy — bo tak nazwałam hienę — skacze nad wężem do polewania. Wiedziałam, że znowu widzi. Spędził u nas sporo czasu, wślizgiwał się do pokoi i do zagród. Wieczorami chodził z nami na spacery wraz z Maggie i uMfanem. Z czasem zaglądał coraz rzadziej, a później tylko słyszeliśmy w nocy jego zawodzenie. Można to nazwać szczęśliwym zakończeniem historii.

W owym czasie polityka odgrywała ważną rolę we wszystkich serwisach informacyjnych. Idąc za tym trendem, nazwaliśmy osieroconą antylopę kudu Ronald Reagan, a antylopę szablorogą — Pik Botha. Obie antylopy zaprzyjaźniły się i wszędzie chodziły razem. Kudu nie bardzo wiedział, co jeść: zdawało mu się, że powinien żywić się trawą, trawożerca zaś uważał, że jego dieta powinna się składać z liści, więc obaj mieli poważne problemy. Antylopy szablorogie nierzadko bywają zaczepne, toteż Pik często dotkliwie bódł Ronalda. Kudu zachowywał się bardzo spokojnie. Lubił obskubywać bugenwille rosnące wokół domu. Pewien gość z Niemiec był nim zafascynowany i stale ciągnął go za rogi.

— To jest duże zwierzę — ostrzegłam go, będąc świadkiem takiej sytuacji. — Może wyrządzić krzywdę rogami. Proszę mu dać spokój i go nie dotykać.

Udzieliwszy tej rady, odwróciłam się i odeszłam. Jednakże mężczyzna postanowił jeszcze raz pociągnąć antylopę za rogi.

Ja z młodą Savanną

Game ranger siedział na schodach i obserwował scenę. Nagle zwierzę uderzyło jegomościa rogiem w głowę. Strażnik podszedł do mężczyzny.

— Teraz pan wie, dlaczego ta antylopa nazywa się kudu. Bodąc pana w głowę, zawyła kuduu...

Turysta sprawiał wrażenie rozbawionego sytuacją, wiedział, że to jego wina.

Antylopa szabloroga odeszła do buszu, a kudu długo żył na swobodzie i zmarł ze starości nieopodal obozu. Możliwe, że antylopa szabloroga padła ofiarą kłusowników lub łowców zwierzyny, gdyż jest to bardzo cenne zwierzę.

Większość problemów, które mamy ze zwierzętami, powodują ludzie igrający z losem. Ostrzegamy ich, że mają do czynienia z dzikimi stworzeniami, które wymagają szacunku. Zwierzęta też się złoszczą, kiedy źle się je traktuje.

Mieliśmy antylopę waterbuck, która również wystąpiła w filmie *Jock z buszu*. Nazywała się Willie. Po pewnym czasie zaczęła nam się dawać we znaki. Rzuciła się na dzieci szkolne, zaatakowała także Iana. Wychowaliśmy ją, ale wróciła do buszu i przebywała w pobliżu naszego obozowiska. Kiedyś ubodła Iana z tyłu w nogi, kiedy wsadzał syna do samochodu. Ian schronił się w domu, ale kozioł rzucił się za nim w pogoń. Mój syn nie chciał go zabijać, lecz jakiś czas potem zwierz zagonił grupę robotników na drzewo i dość długo ich tam przetrzymał. Jeden z nich zmykał tak szybko, że pogubił buty. Uświadomiło to nam, że sytuacja staje się poważna i nie można dłużej tolerować takiego zachowania antylopy. Pew-

Janusz z dorosłą Savanną

nego dnia Ian poszedł pokazać busz grupie młodych chłopców. Zwierz rzucił się na nich i musieli wracać do obozowiska. Samiec uważał ludzi za swoich konkurentów. Waterbucki są bardzo agresywne, mogą łatwo zabić. Willie bronił swoich samic, traktował nas jako potencjalne zagrożenie. A ponieważ został przez ludzi wykarmiony, nie czuł przed nimi lęku. Z tego powodu wiele wychowanych przez nas zwierząt zostało przeniesionych na farmę Ohrigstad. Bywa tam niewielu ludzi, tylko członkowie rodziny, łatwiej jest nam więc utrzymać zwierzaki w ryzach.

Charlie, nasza antylopa eland, przyszła na świat w Tshukudu. Zwierzę było w bardzo złym stanie, kiedy je znaleźliśmy w buszu. Zdawało się nam, że to ranna antylopa kudu. Dopiero później zauważyliśmy, że mamy elanda. Wychowała się u nas, ale po pewnym czasie zaczęła sprawiać problemy, ponieważ lubiła zjadać pranie wiszące na sznurze. Nie mogliśmy jej trzymać u nas, toteż trafiła do Ohrigstad. W stadzie elandów jedna samica zostaje nianią i przez mniej więcej rok opiekuje się młodymi, kiedy matki idą się paść. Charlie przypadła taka właśnie rola w Ohrigstad — opieka nad sześcioma lub siedmioma młodymi. Wieczorem dzieci wracają do matek. Zakończywszy „dyżur", Charlie przychodziła do domu, żeby się z nami przywitać, jeśli tam byliśmy. Później wracała do młodych. Była łagodna, ale jeśli ktoś potraktował ją ostrzej, potrafiła odpłacić pięknym za nadobne. Pewnego razu jeden z naszych strażników przyrody wybrał się z dziewczyną do Ohrigstad. Wyszli na spacer. Charlie lubiła chodzić za ludźmi, więc i dla tej pary nie zrobiła wyjątku. Zakochani nie chcieli, żeby wlókł się za nimi eland, lecz Charlie nie dawała za wygraną. Ale kiedy próbowali odgonić ją kijem, wpędziła ich na drzewo.

Savanna za kierownicą

Samice różnych zwierząt wracają do środowiska naturalnego i nie sprawiają kłopotów. Savanna trafiła do nas w wieku około ośmiu tygodni. W miocie przyszło na świat pięcioro kociąt, toteż szansa na to, że matka zdoła je wykarmić, była znikoma. Wszyscy mówili, że nie uda się wychować tego ślicznego małego kociaka, bo za bardzo już urósł. Jednak po dwóch dniach, dzięki naszej cierpliwości i uporowi, Savanna chodziła za nami niczym psiak. Ocalała jako jedyna z miotu. Teraz znika na całe dnie w buszu, lecz gdy przychodzi nas odwiedzić, jest tak grzeczna jak zawsze. Mruczy, kiedy się do niej podchodzi, okazuje przywiązanie. Na widok samochodu w buszu podbiega, żeby się przywitać. Jest nadzwyczajna, jedyna w swoim rodzaju. Nie znaliśmy drugiego takiego geparda. Łagodna, zawsze bierna wobec ludzi, akceptuje wszystkich, nawet dzieci. Nigdy nikogo nie zaatakowała, choć bywa figlarna. Podbiega z tyłu i skacze na człowieka, ale go nie rani. Prowadzi cudowne życie, ma to, co najlepsze w dwóch światach — świecie dzikiej przyrody oraz ludzi.

Savanna wychodzi na polowanie i wraca z pyskiem ociekającym krwią, widomym znakiem, że udało jej się coś schwytać. Kładzie się wtedy na kanapie w salonie. Wydaje się, że łaknie ciepła i bezpieczeństwa, które daje dom, a może po prostu chce przebywać z ludźmi.

Wie, że jeśli polowanie jej się nie uda, ma zapewniony posiłek z kuchni. Goście uwielbiają, kiedy wskakuje do samochodu, jak gdyby łapała okazję, i przyjeżdża w ten sposób do domu. Wolno jej robić wszystko, na co ma ochotę.

Mamy teraz lwa imieniem Simba. Jest jednym z potomków Shumby, urodził się w czasie potężnej burzy. Strażnicy zobaczyli go rano, a po południu, gdy nawałnica minęła, zauważyli, że maluch został wyniesiony przez wodę poza ogrodzenie i jest bliski utonięcia. Lwicy nigdzie nie było widać, zostawiła młode i odeszła. W takich wypadkach nie ma sensu nakłaniać matki, żeby zaakceptowała dziecko. Raz je odrzuciwszy, nie wróci do niego. Wzięliśmy je, nakarmiliśmy i przywróciliśmy do życia. Przez chwilę sytuacja była niepewna, lecz lwiątko przetrwało. Lubi się bawić. Mamy wrażenie, że kiedy robi się chłodno i wietrznie, staje się bardziej rozbrykane.

Niepewny był także los malutkiego lamparta, ugryzionego w głowę przez ojca. Po urodzeniu, nie mogąc chodzić, turlał się z miejsca na miejsce. Zabraliśmy kociaka do weterynarza, który stwierdził opuchliznę na mózgu. Sandy i Ross, nasz zarządca, wzięli małego lamparta i z miłością go wychowali. Jego stan się ustabilizował, to było coś niezwykłego. Jest teraz pięknym zwierzęciem, został wypuszczony do rezerwatu.

Mieliśmy mnóstwo najróżniejszych zwierzęcych sierot, między innymi małą zebrę, która wychowała się z antylopą gnu. Przenieś-

Mój wnuk David z młodym lampartem

liśmy je do Orighstad, bo gdybyśmy je wypuścili na wolność, nie byłyby świadome zagrożenia ze strony lwów i prawdopodobnie padłyby ich ofiarą. Gnu był samcem i potrafił zachowywać się agresywnie; zebra też lubiła kopać, więc dla bezpieczeństwa wszystkich najlepiej było zabrać oba zwierzaki z Tshukudu.

Zwierzęta wychowywane wspólnie zaprzyjaźniają się ze sobą. Mieliśmy kiedyś w tym samym czasie lamparta, serwala i szakala. Cała trójka wychodziła razem do buszu, lampart zdobywał mięso dla szakala. W dzieciństwie zwierzaki się akceptują, lecz gdy tylko podrosną, górę może wziąć głos krwi. Wczorajszy przyjaciel może zostać zjedzony na obiad.

— Koty są do pewnego stopnia przewidywalne. Im zwierzę inteligentniejsze, tym mniejszą rolę odgrywa instynkt — mówi Ian. — Na przykład lew, który nie jest zbyt rozgarniętym zwierzę-

Niektóre spośród naszych zwierzęcych sierot

ciem, w czasie zabawy może nagle zareagować instynktownym odruchem.

W związku z prowadzonymi przez nas projektami usłyszeliśmy wiele słów krytyki i doświadczyliśmy zawiści. Trzeba jednak pamiętać, że zaczynaliśmy od zera i ciężko na wszystko pracowaliśmy, a przy tym ocaliliśmy bardzo wiele zwierząt, a to coś znaczy. W niektórych agendach nadzorujących ochronę przyrody panuje przekonanie, że jeśli zwierzę nie jest przy matce, nie ma szans na przeżycie. Nam zaś udało się wychować mnóstwo sierot. Jedynym zwierzęciem, które nie potrafi wrócić do środowiska naturalnego, jest lew. Jeśli został wykarmiony ludzką ręką, zawsze będzie chciał spoufalać się z ludźmi, a tym samym stanowi dla nich potencjalne zagrożenie. Zdarzało się, że wychowane przez ludzi drapieżniki zabijały. Człowiek, który zaczyna przed lwem uciekać, staje się zdobyczą, a zwierzę rzuca się w pogoń. Dlatego lwy, którymi się zaopiekujemy, wykorzystujemy do rozpłodu; ich młode będą dzikie i zostaną wypuszczone na wolność do buszu.

Zawsze znajdą się przeciwnicy wszelkiej interwencji w przyrodę. Powinni jednak zrozumieć, że na całym świecie ludzie zniszczyli środowisko naturalne dzikich zwierząt. Człowiek odpowiada za całe zło na naszej planecie: zanieczyszczenie, powstanie dziury ozonowej i wiele innych szkód. Co czynimy, żeby naprawić sytuację? Wielu obrońców przyrody, nie ruszając się z fotela, wskazuje palcami winnych, ale czy sami zrobili coś na rzecz jej ochrony? Ci, którzy zobaczyli na własne oczy to, co osiągnęliśmy, chwalą nas, a my głęboko wierzymy w słuszność naszego działania. Wiedza i doświadczenie, które nabyliśmy, pozwalają nam lepiej rozumieć zwierzęta, ich potrzeby i zachowania społeczne. Ta wiedza otworzyła nam oczy. Należy ją przekazywać z pokolenia na pokolenie dla dobra ludzkości i zwierząt. Dokładamy wszelkich starań, by chronić dziką przyrodę, która ucierpiała w wyniku eksplozji demograficznej na świecie. Przyroda poniesie jeszcze większe straty, jeśli my, ludzie, nie zaczniemy działać.

Słonie

Słonie to nadzwyczaj inteligentne zwierzęta, potrafiące myśleć i przezwyciężać wiele instynktownych zachowań. Poziom nasilenia instynktu jest u nich niski. Można oswoić słonia, a on przez całe życie pozostanie łagodny wobec człowieka.

Becky i Tembo miały około dwóch lat, gdy przekazano je nam z Parku Narodowego Krugera. Zostały osierocone po odstrzale słoni. Z początku były szalenie agresywne, chciały wszystkich pozabijać. Miały za sobą traumatyczne przejścia, widziały, jak ich rodzina została zastrzelona. Przypuszczalnie nigdy tego nie zapomną. Szarżowały z niewiarygodną wściekłością. Kiedyś zaatakowały Chrisa — któryś wyrzucił go na dwie stopy w powietrze. Zdobyliśmy jednak ich zaufanie, stale z nimi przebywając. Całkowicie się oswoiły, nie opuszczały nas nawet na krok.

Słonie są zwierzętami stadnymi, dlatego uznały nas za część swojego stada. Dużo z nimi obcowaliśmy i zdołaliśmy je wspaniale oswoić. W miarę jak rosną, stają się cięższe i bywają trochę niezdarne. Jeśli biegną w twoją stronę, lepiej zejść z drogi, gdyż nie umieją się raptownie zatrzymać. Te dwa, o których mowa, tak się oswoiły, że można było położyć się na ziemi, a one przechodziły nad leżącym, nie ruszając nawet włoska na głowie. W pełni zasługiwały na miano łagodnych olbrzymów.

Kiedyś na nasz teren wdarł się słoń z Parku Narodowego Krugera. Becky osiągnęła wiek, w którym mogła urodzić młode. Słonie mają znakomity sposób komunikowania się za pomocą infradźwięków, umieją porozumiewać się na znaczną odległość tonami, których nie słyszymy. Zabłąkany słoń przywędrował z dwoma innymi samcami, ale po jakimś czasie tylko on został i połączył się z Becky. Nazwaliśmy go John Slade od nazwiska przyjaciela Janusza, który podkradł mu żonę. Tembo został poddany kuracji odwykowej (Janusza to nie spotkało). Przyzwyczaił się do roli szefa, a tymczasem Becky obdarzyła względami przybysza. Zaczął szaleć i sprawiać kłopoty. Swoją frustrację zwykł wyładowywać na domu. Wchodził nocą na teren, demolował ogród, łamał rury wodociągowe i przesuwał samochody. Wiedział, że broi, bo na nasz widok natychmiast czmychał. Był tak mądry, że potrafił przewidzieć ruchy ścigających go ludzi i kierunek, w którym pójdą. Wiedział też, że musi wbiec w gęsty busz i stanąć całkowicie nieruchomo. *Game rangers* mogą przejść obok niego, ale w ciemności nie sposób dojrzeć słonia. Biegaliśmy jak opętani, a on spokojnie czekał w ukryciu, aż pójdziemy w inną stronę. Zaczął wdzierać się do zagrody lwów, niszczył bramy i po prostu sobie wchodził i wychodził. Powtarzał to co noc. Kiedy znaleźliśmy metodę, by zapobiec jego wypadom, znalazł nowe zajęcia. Jeśli chodzi o łamanie ogrodzeń pod napięciem, był najlepszym elektrykiem i mechanikiem. Jego zachowanie dowodzi inteligencji słoni. Tembo wręcz domagał się, by się nim poważnie zająć.

Tembo i Becky w towarzystwie Iana, Chrisa, Lolly'ego i moim

Uciekł z Tshukudu, kiedy Ian go obserwował. Postanowił odwiedzić magazyn znajdujący się w niewielkiej odległości od farmy. Z raportu policyjnego wynikało, że niesforny zwierz włamał się do środka. Tak się nieszczęśliwie złożyło, że urządzenie śledzące przestało działać. Ian w końcu tam dotarł i dowiedział się, że Tembo zrobił spustoszenie na placu budowy. Robotnicy musieli się salwować ucieczką do buszu. Nasz pupil wiedział, że postępuje niewłaściwie. Wkroczył na sąsiedni teren, Balule. Tam go zastał Ian. Mój syn wyjaśnił zwierzęciu, że było bardzo niegrzecznym słoniem i złamało wiele przepisów porządkowych. Ian jest święcie przekonany, że Tembo wysłuchał jego reprymendy. Ian i Ross poświęcili około trzech tygodni na stałą obserwację rozbrykanego zwierzaka. On zaś wdzierał się do zagród i pod nieobecność ludzi wszystko rozwalał i kradł to, na co miał ochotę. Okazało się to dość kosztowne, gdyż przyszło nam zapłacić za zniszczenie wartościowych książek o ptakach oraz wielu innych kosztownych rzeczy. Ktoś musiał go stale pilnować, gdyż straszono nas, że zostanie zastrzelony. W końcu oddaliśmy go zespołowi prowadzącemu program „Elephant Back Safaris". Tembo radzi sobie doskonale, pracuje niedaleko Tzaneen i pomaga w zbieraniu pieniędzy na szkolenie następnych pokoleń słoni. Podawaniem hormonów zapobiega się wpadaniu przez samce w stan zwany *musth**, w czasie którego stają się niezwykle agresywne. Trzeba ograniczyć poziom testosteronu w ich organizmach. Tembo wiedzie przyjemny żywot. Elephant Back Safaris to program dający ludziom szansę wejścia w bliski kontakt ze słoniami. W przypadku Tembo nie wchodziło w grę nic innego, można go było najwyżej zabić. Kompromis okazał się optymalnym rozwiązaniem.

Becky straciła młode, które w czasie suszy zostało zabite przez nosorożca, i wpadła w depresję. Byłam głęboko poruszona, dostrzegałam u niej niemal ludzkie zachowania. Wracała na miejsce śmierci dziecka i opłakiwała stratę. W pierwszej chwili próbowała dźwignąć ciało za pomocą ciosów. Zrozumiawszy, że słonik nie żyje, przykryła go trawą i gałęziami.

Kręciła się wokół farmy, popłakując. *Game rangers* wychodzili i przemawiali do niej, dotrzymywali jej towarzystwa, żeby nie czuła się osamotniona. Pocieszali ją, a ona była im za to wdzięczna. Doszliśmy do wniosku, że powinniśmy znaleźć dla niej drugiego słonia. Po negocjacjach postanowiliśmy ściągnąć dwa samce z rezerwatu Karongwe. Schwytaliśmy je i przywieźliśmy na miejsce.

---

* stan zwiększonego podniecenia seksualnego i wzmożonej agresywności osobników męskich wskutek podnoszenia się poziomu testosteronu we krwi

Kiedy zjawił się u nas Slade, zachowywał się agresywnie. Becky często wkraczała między nas a niego, spiesząc nam na ratunek. Jeśli szykował się do szarży, odprowadzała go w drugą stronę. Tak samo postępowała z nowymi samcami, w razie potrzeby zawsze interweniowała. Widząc, że samce zachowują się spokojnie, pozwalała im zbliżyć się do nas, a kiedy zdradzały niepokój, odbiegała, one zaś podążały za nią. Teraz samce bardzo się oswoiły, młodszego możemy nawet dotykać. W dalszym ciągu trzeba bardzo uważać, bo wchodząc w stan *musth*, stają się bardzo groźne i trzeba ich unikać. Becky ma dziecko o imieniu Malutka. Słoniątko jest trochę niesforne, lubi gonić i przestraszać bawoły i inne zwierzęta, które za blisko podchodzą.

Wędrówki ze zwierzętami

Tshukudu jest unikatowym miejscem dlatego, że można u nas spacerować ze zwierzętami. Goście mają możliwość przebywania z nimi w ich naturalnym środowisku, dotknięcia lwa lub innego dzikiego stworzenia. Wielu przyjeżdża wyłącznie w tym celu. Usłyszeliśmy z tego powodu wiele słów krytyki, lecz składamy je na karb zawiści. Nie żałowaliśmy trudu i powiodło się nam. Niedawno pewna pani powiedziała do mnie:

— Brakuje mi słów, by opisać to, co tutaj przeżyłam. Oby wszystko szło państwu jak najlepiej!

Goście wpisują wspaniałe komplementy do naszej księgi odwiedzających.

Wycieczki i spacery pełnią funkcję edukacyjną, a poza tym pozwalają turystom zaznajomić się z naszymi sierotami. Pewnego razu Ian zabrał grupę trzynaściorga uczniów szkoły średniej na wycieczkę z dala od zabudowań. Początkowo dzieci bały się zwierząt. Wiele z nich pochodziło z rodzin dysfunkcyjnych, niektórym nie wolno było nawet trzymać zwierząt w domach. Bały się bardziej psa Iana niż lwów! Ian zaprowadził je tam, gdzie

Lwiątko ze swoim przyjacielem w pokoju dziecinnym w domu Sylvii

Becky wraz ze swoim słoniątkiem przebywała w towarzystwie samca, nosorożca i stada bawołów. Wszystkie te zwierzęta należą do tak zwanej wielkiej piątki. Grupie towarzyszyły Savanna oraz kilkoro młodych lwiątek. Kiedy wycieczkowicze ruszyli w drogę powrotną, Becky postanowiła podążyć za nimi. Trzynaścioro dzieci, Ian, Becky, jej słoniątko, pies, gepard oraz małe lwy — cała ta procesja pomaszerowała przez busz. Może wtedy nie zrobiło to na uczniach wrażenia, ale jestem pewna, że wspominając tę chwilę, będą mówić: „Ojej! Dotykaliśmy geparda, serwala, widzieliśmy z bliska Becky".

Staramy się pomóc dzieciom w pokonaniu lęku przed zwierzętami i wpajać im szacunek dla natury, pamiętając, że mimo wszystko są to dzikie zwierzęta, mogące ugryźć i podrapać. Dzieci muszą nauczyć się traktować je ze zrozumieniem i miłością. Przed każdym spacerem strażnicy przyrody wydają gościom instrukcje, jak się zachowywać w obecności dzikich zwierząt. Wypadki zdarzają się tylko wówczas, gdy ludzie robią coś nieodpowiedzialnego, na przykład ciągną zwierzęta za uszy lub ogony. Chodzi nam o to, żeby zobaczyli i doświadczyli jak najwięcej, żeby wywołać w nich zdumienie i podziw dla dzikiej przyrody. Żeby zapamiętali, że skóra słonia jest gruba i twarda, a sierść lwa, wyglądająca na miękką, jest w gruncie rzeczy szorstka. Uważamy, że spacer ze zwierzętami to przywilej, rzadka okazja, by znaleźć się tuż obok nich, poczuć ich akceptację i bliskość.

Wśród ludzi

Nasi współpracownicy są dla nas bardzo ważni. Ross pracuje z nami od dziesięciu lat. To niezwykle pogodny człowiek, kiedyś pracował w KwaZulu-Natal. Jego żona Sandy przybyła do nas jako studentka hotelarstwa. Była bardzo spokojną osobą, nie wiedziałam, że łączy ich coś poważnego. Pobrali się niedaleko od Tshukudu, w White River.

Oboje dają z siebie więcej, niż proszę. Zdaniem Rossa życie w Tshukudu jest wspaniałe, gdyż praca u nas to nie tylko posada, lecz także sposób na życie. Czuje się zaszczycony, że tutaj trafił. Choć farma nie należy do niego, do wszystkich swoich obowiązków podchodzi z pasją. Staramy się, żeby czuł się wśród nas jak w rodzinie. Tu poznał swoją żonę.

Podobnie jak my Ross uważa, że jeśli istnieje szansa ocalenia zwierzęcia i zwrócenia go środowisku, trzeba podjąć taką próbę. Bardzo sobie ceni niezwykłe więzi, które zadzierzgnął ze zwierzętami. Zawsze jednak przestrzega turystów, że podczas obcowania z naszymi podopiecznymi trzeba uszanować ich dzikość. Ulubio-

Ślub Rossa i Sandy. Na zdjęciu widać: Lolly'ego, Davida, Patricka, Sylvię, Iana, Chrisa, Stevena, Richarda, Sonję, Matthew, Jessicę i Alę Sussens. Dalej są mama Sandy, Heidi Hutter, Wendel i Patsy (pośrodku w głębi), Chris Vink (za Rossem), Pat Tweedie (pośrodku na przodzie). Des Soule wygląda spoza Sandy, za nią stoją Mike Donnison i Marianne Wilding

nym zwierzęciem Rossa jest biały nosorożec. Przedstawia go w taki sposób: „Piękne, łagodne i zwinne zwierzę, które nikomu nie chce uczynić krzywdy". Nie do końca zgadzamy się z tym opisem, lecz cenimy jego szczerość i oddanie.

Ross zawsze bardzo lubił i podziwiał Pat Tweedie. Przyjeżdżała do Tshukudu wiele razy, spędzała sześć tygodni w lutym i marcu oraz sześć tygodni w październiku i listopadzie. Następną podróż zaczynała planować natychmiast po powrocie do Anglii. Jest najlepszym przykładem gościa, który ustawicznie do nas powraca.

Wendel to nasz „profesor". Ma dyplom pedagoga, co bardzo mu się przydaje w kontaktach z grupami zwiedzających. Jest naszym głównym strażnikiem dzikiej przyrody. Kocha zwierzęta i poświęca się pracy. To szczęście, że on i jego żona Patsy mogą u nas pracować.

Wendel uważa, że w Tshukudu udało się zmienić model *game ranger*. Dawniej był to mężczyzna na koniu, który pilnował, żeby zwierzęta nie zagrażały gościom i żeby zwiedzanie było jak najprzyjemniejsze.

— Kiedy przychodzi ktoś nowy — mówi Wendel — Ala oświadcza: „Albo wejdziesz do rodziny, albo nie wytrzymasz u nas długo".

To prawda. Wszyscy stają się członkami naszej rozszerzonej rodziny. On i jego żona pracują w ośrodku od lat i dali nam dwoje „dzieci Tshukudu". Mieliśmy także wielu innych *rangers* pracujących z wielkim poświęceniem.

Des Soule także była w Tshukudu kimś wyjątkowym, więcej niż pracownicą. Była moją prawą ręką i bratnią duszą.

Większość turystów zwiedzających Tshukudu to wspaniali ludzie. Przybywają jako turyści, a wyjeżdżają jako przyjaciele. Mieliśmy jednak również „nietypowych" gości. Chris opiekował się kiedyś grupą, która mieszkała w namiotach. Pewna pani postanowiła nie jechać z mężem na oglądanie zwierząt i spędzić popołudnie w namiocie. Gdy mąż wrócił, rozpoczęła z nim kłótnię, wyglądało to tak, jakby chcieli się pozabijać. Z namiotu zostały strzępy. Chris zawołał na pomoc Rossa, musieli skuć kobietę kajdankami, żeby ją okiełznać. Umieściliśmy ją w jednym z domków i postawiliśmy przed nim strażnika, na wypadek gdyby się wymknęła. Nazajutrz mąż musiał ściągnąć taksówkę z Johannes-

Ja z Januszem na wakacjach w Australii

burga, bo żona nie mogła z nim wracać. To było smutne, gdyż mieli syna w wieku dziewięciu lat, który wciąż powtarzał, że matka jest opętana, i prosił, żeby ojciec się z nią rozwiódł.

Zdarzyła nam się kiedyś nieprzyjemna sytuacja, która pozostawiła po sobie głęboki żal. Dwoje ludzi przybyło z Hiszpanii, by przeprowadzić wywiad z Chrisem. Podawali się za agentów biura podróży, ale mieli ukryte kamery. Opowiedzieli nam bajkę o mężczyźnie, który był kaleką i umierał na raka, a bardzo pragnął upolować lwa. Proponowali, żeby Chris uśpił jednego z naszych lwów żyjących w zagrodzie, a wtedy chory mężczyzna zastrzeliłby go z wózka. To był podstęp, lecz Chris odparł:

— Nie mogę państwu pomóc, ale jeśli czegoś takiego państwo oczekują, proszę jechać do prowincji Free-State. Ja tego rodzaju polowań nie organizuję.

Tych dwoje wróciło do Hiszpanii i zmanipulowało nagranie tak, że zabrzmiało, jakby Chris był chętny spełnić ich życzenie za odpowiednią cenę. Zaplanowali wszystko naprawdę dobrze, podstęp zainicjował pewien międzynarodowy fundusz na rzecz ochrony zwierząt. Ludzie ci jeżdżą po świecie i rzekomo pokazują cierpienia zwierząt. Utrzymują, że wszystkie zebrane pieniądze są przeznaczone na ochronę dzikiej zwierzyny, ale postępują podobnie jak ci, którzy zarabiają na religii. Za piękną fasadą kryją się rzeczy o wiele mniej przyjemne. Ta sama organizacja brała udział w akcji mającej na celu wprowadzenie zakazu handlu produktami pochodzącymi od słoni. Wszelkie zakazy tworzą ogromny czarny rynek nielegalnych towarów, ceny idą w górę i zachęcają ludzi żyjących poniżej progu ubóstwa do łamania prawa.

Pewna międzynarodowa organizacja zainicjowała kampanię mającą na celu zdyskredytowanie hodowców lwów. Trzeba przyznać, że niektórzy z nich postępowali nieuczciwie. Jednakże ofiarą padli legalni hodowcy. My nigdy nie pozwalamy na polowanie w naszych zagrodach, lecz działalność organizacji zaszkodziła wszystkim hodowcom. Sfilmowano bramę naszego ośrodka i wyemitowano nagranie w telewizji. Z podtekstu wynikało, że prowadzimy działalność szkodliwą dla zwierząt, a ze sposobu prezentacji — że nikt oprócz nas takich okrucieństw się nie dopuszcza. Po naszej interwencji w czasie drugiej emisji zamazano napis „Tshukudu", ale szkód spowodowanych oszczerstwem nie można już było cofnąć. Nie mieliśmy możliwości pozwania organizacji do sądu, kosztowałoby to mnóstwo pieniędzy, których nam brakowało. Zwróciliśmy się z apelem do Independent Broadcasting Commision, Niezależnej Komisji Radiowo-Telewizyjnej, lecz mieliśmy do czynienia z potężną organizacją. Ian wziął udział w programie radiowym. Zasugerowałam, żeby prowadzący zapytał, na co owa organizacja przeznacza swoje pieniądze. Dziennikarz odparł, że gdyby to zrobił, nazajutrz wyleciałby z pracy.

W odróżnieniu od tej organizacji World Wildlife Fund, Światowy Fundusz na rzecz Dzikiej Przyrody, robi wiele dobrego, a my popieramy tę działalność. Każdy zebrany przez nich cent przeznaczony jest na ochronę przyrody.

Po tej nieszczęsnej sprawie przeżyłam załamanie nerwowe. Zajmujemy się ochroną przyrody od niepamiętnych czasów, dane nam było podróżować po Europie, Australii, Dalekim Wschodzie, Alasce i Kanadzie i zbierać najlepsze doświadczenia w tej dziedzinie. Zainwestowaliśmy w Tshukudu ciężko zarobione pieniądze i spotkało nas coś takiego! Przyjaciele bardzo nas wówczas wspierali, ale musiałam wyjechać, aby ukoić duszę. Z pomocą przyjaciół i rodziny oraz dzięki wierze w Boga przezwyciężyłam kryzys.

CZĘŚĆ 5

Powrót do początków

Wrzesień–październik 2004

Powrót

W październiku 2004 roku zaproszono nas do Polski wraz z grupą osób, które zostały jako dzieci zesłane na Syberię. Z początku nie chciałam odwiedzić ojczystego kraju ze względu na głęboko zakorzeniony strach i nienawiść do komunizmu, który jak uważałam, opanował moją ojczyznę. Kiedy zdecydowałam się na wizytę w Polsce w 1989 roku, zastałam spustoszenie. Serce mi się krajało na widok zrujnowanego kraju i narodu pozbawionego ducha. Przykro było patrzeć na to, co pozostawił po sobie komunizm. Wydawało się, że z ludzi została wyssana energia. Zaniedbane budynki stanowiły ilustrację tej duchowej zagłady. To było wręcz niewiarygodnie smutne. Chciałam, żeby Lolly zobaczył moją ojczyznę, lecz okazało się, że to nie był dobry pomysł. Powróciłam do Afryki Południowej odarta ze złudzeń, obiecując sobie, że nigdy więcej nie odwiedzę rodzinnego kraju. Później jednak przyjeżdżali do nas ludzie i opowiadali, że sytuacja zmienia się na lepsze, i zachęcali mnie, żebym przekonała się o tym na własne oczy.

Zaproszenie otrzymałam od Stefana Adamskiego, który jako sierota trafił do Oudtshoorn. Chciał, żebym przyłączyła się do grupy, ale wymówiłam się przyjazdem Janusza. Moje wymówki nie zostały przyjęte. Organizatorka wycieczki, Basia, zadzwoniła i oznajmiła, że niektórzy się wycofali, więc Janusz mógłby pojechać do Polski razem ze mną. Często rozmawialiśmy z bratem o podróży do ojczyzny. Starzejemy się, wiedzieliśmy, że niedługo czas naszego podróżowania się skończy. Bardzo chcieliśmy jeszcze raz zobaczyć Polskę. Skontaktowałam się z Januszem — z radością powitał propozycję. Lolly oświadczył, że chętnie przyłączy się do grupy. Podczas wycieczki przypadała pięćdziesiąta rocznica naszego ślubu. Cieszyłam się, że będziemy razem. Podróż okazała się całkowicie odmienna od poprzedniej, odbytej przez nas w czasie, gdy w Polsce panował jeszcze komunizm.

Grupa składała się z trzydziestu czterech osób, z których większość poznała gehennę zsyłki. Wiele z nich było sierotami, które trafiły do Oudtshoorn. Spotkaliśmy się w Warszawie w poniedziałek rano. To było cudowne przeżycie. Ulice wydawały się odbudowane, ludzie wyglądali elegancko, nie byli ubrani na czarno, tak jak podczas mojej pierwszej podróży. Większość budynków odrestaurowano, pałace prezentowały się imponująco.

Zawieziono nas do Pruszkowa, miasta leżącego około dziesięciu kilometrów od Warszawy; tam zakwaterowano całą naszą grupę. Nazajutrz wszyscy pojechaliśmy do stolicy. W czasie kolacji z radością spostrzegłam, że naprzeciwko mnie siedzi kobieta, która była moją druhną na ślubie. Nie znałam nikogo poza nią, jednakże nasze drogi życiowe nie splotły się ze sobą. W czasie wycieczki poznałam nowych przyjaciół.

W Warszawie spotkał się z nami nasz przyjaciel Andrzej. Pomógł nam zdobyć litewskie wizy. Po wojnie region Polski, w którym się urodziłam, znalazł się na terytorium Litwy. Andrzej zabrał nas do ambasady, a potem dołączyliśmy do naszej grupy. To była niezwykła chwila. Spotkaliśmy się w pałacu w przepięknie odrestaurowanej i udekorowanej sali. Impreza była związana z wydaniem książki *Dzieci z Syberii*. Oczywiście kupiłam egzemplarz tej bardzo grubej księgi i woziłam ją wszędzie ze sobą. Znalazłam w niej swoje zdjęcie i bardzo mnie to wzruszyło. Na spotkanie przybyli Polacy z całego świata, nawet konsulowie reprezentujący różne kraje, wygłoszono wiele przemówień. Orkiestra Wojska Polskiego grała pieśni, łzy popłynęły nie tylko z moich oczu. To były niezapomniane wrażenia. Lunch rozpoczął się o siedemnastej. W Domu Polonii w Warszawie na powitanie wręczono nam płyty kompaktowe z nagraniami polskich piosenek oraz książki o Polsce, wygłoszono mowy powitalne. Byliśmy traktowani dosłownie po królewsku.

Następnego dnia znów pojechaliśmy do Warszawy na spotkanie w Senacie. Przywitała nas pani wicemarszałek, czarująca osoba, która odwiedziła wcześniej Afrykę Południową. Oczywiście Janusz chełpił się później, że kiedy robiono zdjęcie, trzymał panią marszałek za pupę.

— A jakże! — pieje mój brat. — I wcale jej to nie przeszkadzało.

Obecny na spotkaniu minister opowiadał, ile znaczymy dla Polaków, i gratulował tego, co w życiu osiągnęliśmy. Później udaliśmy się do Sejmu. Zajęliśmy miejsca na specjalnej galerii dla gości i posłuchaliśmy debaty, następnie zabrano nas do restauracji w pobliżu siedziby parlamentu. Na obiedzie zjawiło się wiele ważnych osób. Pokazałam im ulotkę Tshukudu. Byli zachwyceni, zadawali wiele pytań. Po posiłku wręczono nam pamiątki z kryształu. Wróciliśmy do hotelu obładowani prezentami.

Nazajutrz pojechaliśmy do Częstochowy. To było coś nadzwyczajnego. Mieliśmy uroczą przewodniczkę o imieniu Bella. Opiekowano się nami wspaniale. Przez cały czas wycieczki przypominaliśmy sobie teksty polskich piosenek. Wiele z nich było smutnych, opowiadały o wojnie i historii Polski.

Odwiedziliśmy mnóstwo kościołów. Stefan obawiał się trochę, że Basia, nasza przewodniczka, chce z nas zrobić świętych. W Częstochowie na Jasnej Górze znajduje się niezwykłe sanktuarium z obrazem Czarnej Madonny, chronionym stalową kratą. Kościół jest pełen kul i wózków inwalidzkich, zostawionych przez cudownie uzdrowionych ludzi, oraz dziękczynnych ofiar wotywnych w postaci klejnotów i innych darów. Wokół ołtarza ludzie chodzą na kolanach. W naszej intencji odprawiono specjalną mszę. Janusza i mnie bardzo to wzruszyło.

— Płakałem tylko dwa razy w życiu, jeden raz właśnie w tym kościele — powiedział Janusz.

Wszędzie, gdzie jedliśmy, podawano polskie dania. Pamiętam z dzieciństwa pierogi, słodkie lub pikantne kluski nadziewane farszem, śliwkami, kapustą albo truskawkami. Chodząc ulicami, napotykaliśmy sprzedawców pierogów. Kupowaliśmy je i nie mogliśmy się nimi nasycić.

Z Częstochowy udaliśmy się do Krakowa. Zatrzymaliśmy się w hotelu Chopin, bardzo pięknym i nastrojowym. Uliczni muzykanci grali na skrzypcach i śpiewali. Na chodnikach stało wiele budek z rozmaitymi rzeczami i pamiątkami. Kraków to miasto pełne kolorytu. Można tam spacerować godzinami, oglądać restauracje, hotele i sklepy. Uliczki brukowane kocimi łbami uzmysłowiły mi, jak bardzo stare jest to piękne miasto. Spędziliśmy w nim dwa dni.

Przez cały ten czas tylko jedna kobieta potraktowała nas niegrzecznie. Ludzie w Polsce byli mili i uprzejmi.

Prosto z Krakowa udaliśmy się do Zakopanego, miasta leżącego w kotlinie górskiej. Tam po raz pierwszy mogliśmy odpocząć. Do tego czasu byliśmy bez przerwy w ruchu. Zwiedzaliśmy kościoły i pałace, wsiadaliśmy do autokarów i wysiadaliśmy z nich co najmniej pięćdziesiąt razy. W górskim raju, którym jest Zakopane, mieszkaliśmy w wygodnym pensjonacie. Właścicielka zarobiła pieniądze na handlu z Niemcami, a później przeznaczyła je na zakup pięknej góralskiej willi.

Z pensjonatu można było w ciągu dwóch i pół godziny dojechać do miejsca, w którym odbywają się spływy bystrą górską rzeką. Nie pojechałam, bo było za zimno. Miasto jest piękne. Powiedziałam Januszowi, że gdybym miała mieszkać w innym miejscu niż Tshukudu, wybrałabym tę urokliwą osadę. Ludzie byli bardzo życzliwi, wypytywali o Afrykę Południową. Byli też bardzo pracowici. Poznałam pewnego pana, który prowadzi cukiernię i zaopatruje sto czterdzieści restauracji w Polsce. Zatrudnia setkę pracowników. Kiedyś w tym kraju nie było prywatnej przedsiębiorczości, wszyscy musieli pracować na państwowych posadach. Cóż za postęp!

Widzieliśmy również ludzi, którzy wciąż borykają się z ubóstwem. Rolnicy muszą robić wszystko sami. Ich żony, starsze kobiety, własnymi rękami ścinają trawę dla krów na zimę. Jadąc z wizytą do domu rolnika, zabraliśmy jedzenie dla jego psów. Gospodarze rozmawiali z nami i nie chcieli nas wypuścić. Chodziliśmy również na spacery po pięknej okolicy.

Po powrocie do Pruszkowa zamieszkaliśmy w zamku na wzgórzu, zamienionym na hotel. Cóż za luksus! Podejmowano nas wspaniale.

Wszędzie, dokąd się udawaliśmy, obdarowywano nas prezentami. Pewnego razu każdy z uczestników wycieczki otrzymał po bochenku chleba, którym zwyczaj nakazuje w Polsce witać gości. Musieliśmy go, niestety, rozdać, ale ludzie byli wspaniali. Zewsząd otaczały nas ciepło i życzliwość.

Wycieczka dobiegała końca. Smutno było się żegnać. Cudownie się bawiliśmy, wypiliśmy mnóstwo wódki. Nawet ja sobie nie odmawiałam. Lolly i Janusz co wieczór odbywali posiedzenia w pokoju. Wprawiały ich one w doskonały nastrój, ale nazajutrz rano nie czuli się dobrze. W autokarze codziennie częstowano nas innym polskim produktem: wódką, wiśniówką, owocami, chlebem lub czekoladkami. Jeden z członków naszej grupy, mieszkający w Richards Bay w Afryce Południowej, spędza pół roku w Polsce, pomagając rolnikom. Kupował od nich jedzenie i dzielił się nim z nami przy każdej okazji.

Jeden wieczór spędziliśmy w Warszawie. Wynajęliśmy samochód, żeby odwiedzić krewnych. Jazda samochodem w Polsce bardzo się różni od jazdy w Afryce Południowej. Podróż zajęła nam dwa razy więcej czasu, niż planowaliśmy, bo musieliśmy zatrzymać się na nocleg. Pomyliłam się w obliczeniach i moja kuzynka bardzo się niepokoiła, gdy nie dotarliśmy o umówionej porze. Myślała, że mieliśmy wypadek, zadzwoniła nawet na policję.

Upłynęło czternaście lat od naszego poprzedniego spotkania. Lila wyglądała dobrze. Mąż kupił dla niej mieszkanie w kamienicy, prowadziła proste życie. Zapytałam, co u niej słychać.

— Nie uwierzyłabyś, jak jest wspaniale. Nie ma porównania z tym, co było przed czternastu laty.

Uderzyła mnie myśl, że nasza rodzina została rozdzielona. Na widok kuzynki wróciły wspomnienia. Lila często u nas bywała. Było tyle spraw do omówienia, ale także wiele smutku. Lila pytała o moją mamę, o wszystko, co działo się po naszym wyjeździe z Polski. Spędziłyśmy ze sobą bardzo mało czasu, lecz był to czas niezwykły. Lila nie jest osobą zamożną, ale włożyła sporo wysiłku, by jak najgodniej nas przyjąć.

Następnie pojechaliśmy do Turku, aby odwiedzić inną kuzynkę, krewną ojca. I znów zdumiała nas gościnność, z jaką byliśmy przyjęci. Grażyna, moja kuzynka, ma dziewięćdziesiąt dwa lata, wszystkim zajmowała się jej córka Wanda. Obie tak się cieszyły z naszych odwiedzin, że od tygodnia prawie nie spały. Całe miasto wiedziało, że przyjeżdżamy. Ktoś podarował im trzy kilogramy czekolady i odmówił przyjęcia zapłaty. Stół w jadalni uginał się od potraw. Na spotkanie przybyły dwie wnuczki Grażyny, pani sędzia i pani adwokat. Jedna mieszka niedaleko, ale druga musiała jechać samochodem cztery godziny, żeby zobaczyć się z nami. To było miłe spotkanie! Gospodynie nie chciały nas wypuścić, rozmawiałyśmy do trzeciej rano. Kiedy zadzwoniłam później, by podziękować za gościnę, Wanda powiedziała:

— Dwa miesiące temu świętowałyśmy ślub mojej córki, to było pamiętne wydarzenie, ale spotkanie z wami i nasze rozmowy to coś, czego nigdy nie zapomnę.

Wanda chciała pojechać z nami samochodem do Warszawy, ale ją od tego odwiodłam. Zapakowała nam jednak coś do jedzenia na drogę. Było tego tak dużo, że musiałam oddać smakołyki pani, która sprzątała nasz pokój.

Janusz, tatuś i ja jako dzieci przed domem

Janusz i ja polecieliśmy do Wilna. Podróż samolotem wydawała się wygodniejsza, gdyż na drogach są straszne korki, a poza tym trzeba byłoby przechodzić przez punkt graniczny.

Kiedy zamawialiśmy bilety, pani w okienku zapytała nas, dlaczego wybieramy się do Wilna. Powiedzieliśmy, że pragniemy zobaczyć dom, w którym przyszliśmy na świat. Chciała wiedzieć, czy mamy załatwione zakwaterowanie, i wyjaśniła, że jej dobra znajoma z Polskich Linii Lotniczych może nam pomóc. Spotkaliśmy się z tą panią, i rzeczywiście załatwiła nam samochód z kierowcą i zgodziła się zarezerwować kwatery. Znalazła nam pensjonat. Zajęło jej to dwie godziny, w czasie których Lolly czekał cierpliwie na zewnątrz z walizkami. Z Wilna do Święcian dojechaliśmy samochodem. Trasa wynosiła mniej więcej trzydzieści mil. Podróżowaliśmy przez piękną okolicę pełną lasów i jezior. Lasy zachowały się w Polsce nawet w samej Warszawie. Zauważyliśmy również mnóstwo prostytutek; zaproponowałam Januszowi, żeby wysiadł w lesie. Większość tych kobiet pochodzi z Rumunii i Białorusi. Nie wolno im uprawiać swojego zawodu w mieście, więc ulokowały się przy drogach. Dzięki setkom kierowców ciężarówek nie narzekają na brak dochodu. Wszystkie były elegancko ubrane.

Gdy jechaliśmy przez Święciany, nagle powiedziałam:

— Janusz, nie jestem pewna, ale wydaje mi się, że to jest nasz dom.

Zauważyłam go przez okno. Pamiętam długą alejkę prowadzącą od głównej drogi. Zbliżywszy się, stwierdziliśmy, że to naprawdę nasz dom. Nie muszę mówić, że jest w fatalnym stanie. Nikt w nim nie mieszka. Piękne ogrody odeszły w niepamięć, wokół stoi wiele nowych budynków. Na szczęście Janusz zabrał ze sobą nasze dziecinne zdjęcie razem z tatą na motocyklu przed domem, mogliśmy więc dokonać jednoznacznej identyfikacji.

Nasz dom w stanie, w jakim zastaliśmy go w czasie wizyty w Święcianach

Obeszliśmy budynek. Zajrzeliśmy przez okna do środka, a mnie ogarnęło ogromne wzruszenie. Pomyślałam o szczęśliwych czasach, wróciły cudowne wspomnienia rodziców i radosnego dzieciństwa. Musiałam jednak pokręcić głową i powiedzieć sobie: „Jestem w teraźniejszości". Po wojnie nasz dom zamieniono na posterunek policji, ale teraz, pusty i zapomniany, popada w ruinę.

— Wzruszenie Ali udzieliło się i mnie, to było coś niesamowitego — mówi Janusz.

Zadzwoniłam do Reni, by powiedzieć jej, że odnaleźliśmy nasz stary dom.

— Widziałaś wzgórza? — zapytała bez namysłu.

Miasto znacznie się rozbudowało, nie byłam więc pewna, czy widoczne w oddali wzgórza są tymi samymi, z których ześlizgiwałyśmy się w drodze do szkoły. Chciałam zobaczyć dworzec kolejowy, lecz ktoś powiedział nam, że dworzec znajduje się w następnym miasteczku. Wydaje mi się, że właśnie na tamtym dworcu rozpoczął się nasz zesłańczy los. Rano poszliśmy do kościoła i stanęliśmy na stopniach, na których pozowałyśmy z Renią do zdjęcia po naszej Pierwszej Komunii Świętej.

Byliśmy z Januszem szczęśliwi, że udało nam się zobaczyć miejsce naszego urodzenia, choć bardzo nas to poruszyło. Nigdy nie zaplanowałabym w ten sposób podróży. To dziwne, jak wszystko się ułożyło. Jestem teraz Afrykanką, lecz z przyjemnością odwiedziłabym jeszcze kiedyś Polskę.

Tak więc kończymy na tym, od czego zaczęliśmy: na obsesji Janusza na punkcie seksu, na mojej miłości do brata i trosce o niego, na mojej miłości do męża, synów oraz wnuków, ludzi, którzy zawsze są przy mnie, gdy ich potrzebuję, i którzy potwierdzają, jak ważna jest rodzina. Zatoczyliśmy pełne koło i wróciliśmy do miejsca, w którym przyszłam na świat.

Przeżyłam niezwykłe, wspaniałe życie, które zaczęło się w Europie, a później powiodło mnie przez Bliski Wschód do Afryki. Życie pełne przygód, ciężkiej pracy, smutku, szczęścia i radości. Oraz ukochanych zwierząt, miłości i przyjaźni. Życie, przez które nieodmiennie prowadziła mnie opatrzność boska.

Posłowie

Książka jest relacją o doświadczeniach życiowych Ali Kuchcińskiej-Sussens. Opowieścią o wydarzeniach, które ją ukształtowały i uczyniły z niej takiego człowieka, jakim jest teraz. Skazana na wygnanie z ojczyzny w dzieciństwie musiała przedwcześnie dojrzeć i nauczyć się polegać na sobie. Postanowiła zostać na obczyźnie i z niezłomną odwagą przezwyciężała liczne przeszkody.

Ala nie poświęciła swoim synom i wnukom wiele miejsca na kartkach niniejszej książki, choć jej miłość do nich jest zawsze widoczna. Budując Tshukudu, miała na względzie przyszłość wnuków — uważała, że powinni żyć w miejscu, w którym będą mogli dorastać i rozkwitać, uczyć się chronić dziką przyrodę i doceniać przywilej, jakim jest życie w zgodzie z naturą. Już po napisaniu tej książki Chris ożenił się z Vicky. Ala z radością przyjmuje ją do rodziny i życzy młodej parze wspaniałej i szczęśliwej przyszłości.

Narodziny wnuków przyniosły Ali radość i pozwoliły jej poznać nowy wymiar miłości i spełnienia w życiu. To z myślą o nich powstała ta książka. Ala chciała dać potomkom do rąk historię, która pozwoli im lepiej zrozumieć, kim są i do czego powinni dążyć.

Zapoczątkowała w ten sposób tradycję, która będzie kontynuowana — taką ma nadzieję — przez jej dzieci i wnuki. Może i one pewnego dnia będą miały do opowiedzenia swoją historię.

Dr Joan Duff, lipiec 2007

Spis treści